# O ESPÍRITO
# DA VERDADE

Francisco Cândido Xavier e Waldo Vieira

# O ESPÍRITO DA VERDADE

Estudos e dissertações em torno de *O evangelho segundo o espiritismo*, de Allan Kardec

por
Espíritos diversos

FEB

*Copyright* © 1961 *by*
FEDERAÇÃO ESPÍRITA BRASILEIRA – FEB

18ª edição – 16ª impressão – 1,1 mil exemplares – 9/2025

ISBN 978-85-7328-751-6

Todos os direitos reservados. Nenhuma parte desta publicação pode ser reproduzida, armazenada ou transmitida, total ou parcialmente, por quaisquer métodos ou processos, sem autorização do detentor do *copyright*.

FEDERAÇÃO ESPÍRITA BRASILEIRA – FEB
SGAN 603 – Conjunto F – Avenida L2 Norte
70830-106 – Brasília (DF) – Brasil
www.febeditora.com.br
editorial@febnet.org.br
+55 61 2101 6161

Pedidos de livros à FEB
Comercial
Tel.: (61) 2101 6161 – comercial@febnet.org.br

Adquirindo esta obra, você está colaborando com as ações de assistência e promoção social da FEB e com o Movimento Espírita na divulgação do Evangelho de Jesus à luz do Espiritismo.

Dados Internacionais de Catalogação na Publicação (CIP)
(Federação Espírita Brasileira – Biblioteca de Obras Raras)

---

X3e   Xavier, Francisco Cândido, 1910–2002

O espírito da verdade: estudos e dissertações em torno de *O evangelho segundo o espiritismo*, de Allan Kardec / por Espíritos diversos; [psicografado por] Francisco Cândido Xavier e Waldo Vieira. – 18. ed. – 16. imp. – Brasília: FEB, 2025.

288 p.; 21cm – (Coleção Estudando a Codificação)

Inclui índice das referências e índice geral

ISBN 978-85-7328-751-6

1. Kardec, Allan, 1804–1869. O evangelho segundo o espiritismo. 2. Espiritismo. 3. Obras psicografadas. I. Vieira, Waldo, 1932-2015. II. Federação Espírita Brasileira. III. Título. IV. Coleção.

CDD 133.93
CDU 133.7
CDE 80.03.00

---

# Sumário

Em teu nome, Senhor!............................................................... 9
1 Problemas do mundo ........................................................ 11
2 Excesso e você .................................................................. 13
3 Legenda espírita ................................................................ 15
4 Simpatia e bondade .......................................................... 17
5 Decálogo para médiuns .................................................... 19
6 Deus te abençoe ................................................................ 21
7 Os outros ........................................................................... 23
8 A rigor............................................................................... 25
9 Dinheiro e amor................................................................ 27
10 Avisos da criação............................................................... 29
11 Médiuns e mediunidades.................................................. 33
12 Em plena era nova ............................................................ 37
13 Ação da prece ................................................................... 39
14 Muralha do tempo ........................................................... 41
15 Colher e garganta ............................................................. 43
16 Educação........................................................................... 45
17 Crianças doentes ............................................................... 49
18 O Espiritismo pergunta .................................................... 51
19 Guarda-te em Deus .......................................................... 55
20 Contrastes ......................................................................... 57
21 Discípulos do Cristo......................................................... 59
22 A poesia perdida ............................................................... 61
23 No reino da ação .............................................................. 65
24 Caminha alegremente....................................................... 67
25 Fazendo sol....................................................................... 69

| | | |
|---|---|---|
| 26 | No retoque da palavra | 71 |
| 27 | Carta a meu filho | 75 |
| 28 | Lições do momento | 79 |
| 29 | Se tens fé | 83 |
| 30 | As estatuetas | 85 |
| 31 | Oração da migalha | 89 |
| 32 | Na saúde, na doença | 91 |
| 33 | Página do caminho | 93 |
| 34 | A descoberto | 95 |
| 35 | Se você fizer força | 97 |
| 36 | O filho do orgulho | 99 |
| 37 | Tranquilidade | 103 |
| 38 | A paixão de Jesus | 105 |
| 39 | Perigo | 109 |
| 40 | Jesus e você | 111 |
| 41 | A tomada elétrica | 113 |
| 42 | Marcos indeléveis | 117 |
| 43 | Crítica | 121 |
| 44 | Deus em nós | 123 |
| 45 | Cólera | 127 |
| 46 | Vigília maternal | 129 |
| 47 | Perdoa, sim!? | 133 |
| 48 | Renascer e remorrer | 135 |
| 49 | Na viagem da vida | 137 |
| 50 | Maternidade | 139 |
| 51 | Ternura | 143 |
| 52 | Há um século | 145 |
| 53 | Cura espiritual | 149 |
| 54 | Que buscais? | 151 |
| 55 | Assim falou Jesus | 153 |

| | | |
|---|---|---|
| 56 | Por amor à criança | 157 |
| 57 | Caridade e você | 159 |
| 58 | Seja voluntário | 161 |
| 59 | Renúncia | 163 |
| 60 | Vozes do evangelho | 165 |
| 61 | Encontro marcado | 167 |
| 62 | Indulgência | 169 |
| 63 | Moeda e moenda | 171 |
| 64 | O primeiro | 173 |
| 65 | Jesus sabe | 177 |
| 66 | Com você mesmo | 179 |
| 67 | Mediunidade e Jesus | 181 |
| 68 | Provas decisivas | 183 |
| 69 | Riqueza e felicidade | 187 |
| 70 | Na tarefa de ajudar | 189 |
| 71 | Esperando por ti | 193 |
| 72 | Sem idolatria | 195 |
| 73 | Se você pensar | 197 |
| 74 | Que ovelha somos? | 199 |
| 75 | Prece dos filhos | 203 |
| 76 | Letreiros vivos | 205 |
| 77 | Perdoa e serve | 207 |
| 78 | Na exaltação do amor | 209 |
| 79 | Benefício oculto | 215 |
| 80 | A festa | 217 |
| 81 | História de um pão | 219 |
| 82 | Nem castigo, nem perdão | 223 |
| 83 | Nossos irmãos | 225 |
| 84 | Pró ou contra | 227 |
| 85 | Prece do pão | 229 |

86  Os novos samaritanos .................................................... 231
87  Rogativa do estômago .................................................. 233
88  De tocaia ....................................................................... 235
89  Afliges-te ...................................................................... 237
90  Olvide e recorde .......................................................... 239
91  Estrada real .................................................................. 243
92  Espiritismo e você ....................................................... 245
93  Temos o que damos .................................................... 249
94  Verdade e crença ......................................................... 251
95  Se você quiser .............................................................. 253
96  Sê compassivo ............................................................. 255
97  Escola da bênção ......................................................... 257
98  Chamada e escolha ..................................................... 259
99  Mensagem da criança ao homem ............................... 261
100  Você e os outros ........................................................ 263
101  Quando voltares ....................................................... 265
102  A reivindicação ........................................................ 267
103  Rogativa das mãos ................................................... 269
104  Prece no templo espírita ......................................... 271
Índice das referências ........................................................ 273
Índice geral ........................................................................ 275

# Em teu nome, Senhor!...

Mestre! Estudando a mensagem libertadora de Allan Kardec, em O evangelho segundo o espiritismo,[1] nós, os companheiros desencarnados de quantos se encontram ainda em rudes lições na escola física, escrevemos este livro,[2] em teu nome.

Nele se refletem os pensamentos daqueles servos menores de teus servos maiores, aos quais confiaste, em círculos mais estreitos de ação, a sublime tarefa de reviver o Espírito da Verdade, nos tempos calamitosos de transição que o planeta atravessa.

Oferecemo-lo a todos os irmãos, cujos ombros jazem vergados ao peso de rijas obrigações, nesta hora em que a família humana desfalece à míngua de amor; aos que, por náufragos da existência, viram quebradas, ante os furacões do materialismo destruidor, as embarcações religiosas em que se lhes erguia a fé; aos que levantam a voz para redizer-te a palavra de esperança e de luz, deslocando, à custa de sacrifício, os empeços das trevas; aos que, sobrecarregados de

---

[1] N.E.: A esta série de estudos pertencem os livros *Religião dos espíritos* e *Seara dos médiuns*.

[2] N.E.: A convite dos amigos espirituais, os médiuns Francisco Cândido Xavier e Waldo Vieira psicografaram as páginas deste livro, responsabilizando-se o primeiro pelas mensagens de números ímpares e o segundo pelas de números pares, em reuniões íntimas e públicas, realizadas em Uberaba (MG), principalmente nas noites de quartas-feiras e sábados, no período de 1956 a 1961.

*graves deveres, procuram preencher os lugares dos que desertaram do serviço, tentando debalde esquecer os fins da vida; e, acima de tudo, aos que, por agora, não encontram para si mesmos senão a herança das lágrimas em que se lhes dissolve o coração.*

*Com todos eles, Senhor, rumo à Era Nova, nós — gotas pequeninas de inteligência no oceano da infinita sabedoria de Deus — partilhamos os lances aflitivos da Terra traumatizada por angústias apocalípticas, em busca de paz e renovação, trabalhando pelo mundo melhor, na certeza de que permaneces conosco e de que, como outrora, diante da tempestade, repetirás aos nossos ouvidos, tomados de inquietação:*

*"Tende bom ânimo! Sou eu, não temais".*

Bezerra de Menezes
André Luiz
Cairbar Schutel
Eurípedes Barsanulfo
Hilário Silva
Anália Franco
Meimei
Emmanuel e outros

*Uberaba (MG), 9 de outubro de 1961.*

# 1
# Problemas do mundo

*Cap. VI — Item 5*

O mundo está repleto de ouro.
Ouro no solo. Ouro no mar. Ouro nos cofres.
Mas o ouro não resolve o problema da miséria.
O mundo está repleto de espaço.
Espaço nos continentes. Espaço nas cidades. Espaço nos campos.
Mas o espaço não resolve o problema da cobiça.
O mundo está repleto de cultura.
Cultura no ensino. Cultura na técnica. Cultura na opinião.
Mas a cultura da inteligência não resolve o problema do egoísmo.
O mundo está repleto de teorias.
Teorias na ciência. Teorias nas escolas filosóficas. Teorias nas religiões.

Mas as teorias não resolvem o problema do desespero.
O mundo está repleto de organizações.
Organizações administrativas. Organizações econômicas. Organizações sociais.
Mas as organizações não resolvem o problema do crime.

Para extinguir a chaga da ignorância, que acalenta a miséria; para dissipar a sombra da cobiça, que gera a ilusão; para exterminar o monstro do egoísmo, que promove a guerra; para anular o verme do desespero, que promove a loucura, e para remover o charco do crime, que carreia o infortúnio, o único remédio eficiente é o Evangelho de Jesus no coração humano.

Sejamos, assim, valorosos, estendendo a Doutrina Espírita que o desentranha da letra, na construção da Humanidade nova, irradiando a influência e a inspiração do Divino Mestre, pela emoção e pela ideia, pela diretriz e pela conduta, pela palavra e pelo exemplo e, parafraseando o conceito inolvidável de Allan Kardec, em torno da caridade, proclamemos aos problemas do mundo: "Fora do Cristo não há solução".

BEZERRA DE MENEZES

# 2
# Excesso e você

*Cap. XIII — Item 10*

Amigo, Espiritismo é caridade em movimento. Não converta o próprio lar em museu.

Utensílio inútil em casa será utilidade na casa alheia.

O desapego começa das pequeninas coisas, e o objeto conservado sem aplicação no recesso da moradia explora os sentimentos do morador.

A verdadeira morte começa na estagnação.

Quem faz circular os empréstimos de Deus renova o próprio caminho.

Transfigure os apetrechos que lhe sejam inúteis em forças vivas do bem.

Retire da despensa os gêneros alimentícios que descansam esquecidos para a distribuição fraterna aos companheiros de estômago atormentado.

Reviste o guarda-roupa, libertando os cabides das vestes que você não usa e conduzindo-as aos viajores desnudos da estrada.

Estenda os pares de sapatos que lhe sobram aos pés descalços que transitam em derredor.

Elimine do mobiliário as peças excedentes, aumentando a alegria das habitações menos felizes.

Revolva os guardados em gavetas ou porões, dando aplicação aos objetos parados de seu uso pessoal.

Transforme em patrimônio alheio os livros empoeirados que você não consulta, endereçando-os ao leitor sem recursos.

Examine a bolsa, dando um pouco mais que os simples compromissos da fraternidade e mostrando gratidão pelos acréscimos da Divina Misericórdia que você recebe.

Ofereça ao irmão comum alguma relíquia ou lembrança afetiva de parentes e amigos, ora na pátria espiritual, enviando aos que partiram maior contentamento com tal gesto.

Renovemos a vida constantemente, cada ano, cada mês, cada dia...

Previna-se hoje contra o remorso de amanhã. O excesso de nossa vida cria a necessidade do semelhante. Ajude a casa de assistência coletiva. Divulgue o livro nobre. Medique os enfermos. Aplaque a fome alheia. Enxugue lágrimas. Socorra feridas.

Quando buscamos a intimidade do Senhor, os valores mumificados em nossas mãos ressurgem nas mãos dos outros em exaltação de amor e luz para todas as criaturas de Deus.

André Luiz

# 3
# Legenda espírita

*Cap. XV — Item 10*

O cultivador é conduzido ao pântano para convertê-lo em terra fértil.
O técnico é convidado ao motor em desajuste para sanar-lhe os defeitos.
O médico é solicitado ao enfermo para a bênção da cura.
O professor é trazido ao analfabeto para auxiliá-lo na escola.
Entretanto, nem as feridas da terra, nem os desequilíbrios da máquina, nem as chagas do corpo, nem as sombras da inteligência se desfazem à custa de conversas amargas, e sim ao preço de trabalho e devotamento.
O espírita cristão é chamado aos problemas do mundo a fim de ajudar-lhes a solução; contudo, para atender em semelhante mister, há que silenciar discórdia e censura e alongar entendimento e serviço.

É por essa razão que, interpretando o conceito *salvar* por *livrar da ruína* ou *preservar do perigo*, colocou Allan Kardec, no luminoso portal da Doutrina Espírita, a sua legenda inesquecível: "Fora da caridade não há salvação".

BEZERRA DE MENEZES

# 4
# Simpatia e bondade

*Cap. IX — Item 6*

No plano infinito da Criação, jamais encontraremos alguém que prescinda de dois derivados naturais do amor: a simpatia e a bondade.

A árvore frondosa e plena de vigor solicita o apoio do Sol e a solicitude do vento para conservar-se e estender as suas propriedades vitais.

O animal, por mais inferior na escala dos seres, requer o carinho e a ternura da Terra, a fim de manter as próprias funções e aperfeiçoar o seu modo de ser, no meio em que se desenvolve.

A criança e o jovem, a mulher e o homem tornam-se enfermiços e infelizes se não recebem o calor da bondade e da simpatia por alimento providencial na sustentação do equilíbrio e da saúde, da esperança e da paz, que lhes são indispensáveis no esforço de cada dia.

Procura, pois, revestir as próprias manifestações perante aqueles que te rodeiam com os recursos da simpatia que ajuda e compreende e da bondade que concede e perdoa, ampliando a misericórdia no mundo e fortalecendo a fraternidade entre todas as criaturas.

Enriquece com o teu entendimento o patrimônio afetivo do companheiro, e o companheiro retribuir-te-á com auxílios originais e incessantes.

Envolve em tua generosidade fraterna a alma infeliz e desajustada e nela descobrirás imprevistas nuanças do amor.

Não desprezes a simpatia e a bondade ante as lutas alheias, e a bondade e a simpatia nos outros abençoar-te-ão toda a vida.

EMMANUEL

# 5
# Decálogo para médiuns

*Cap. XXVI — Item 7*

1 — *Rende culto ao dever.*
Não há fé construtiva onde falta respeito ao cumprimento das próprias obrigações.
2 — *Trabalha espontaneamente.*
A mediunidade é um arado divino que o óxido da preguiça enferruja e destrói.
3 — *Não te creias maior ou menor.*
Como as árvores frutíferas espalhadas no solo, cada talento mediúnico tem a sua utilidade e a sua expressão.
4 — *Não esperes recompensas no mundo.*
As dádivas do Senhor, como o fulgor das estrelas e a carícia da fonte, o lume da prece e a bênção da coragem, não têm preço na Terra.
5 — *Não centralizes a ação.*

Todos os companheiros são chamados a cooperar no conjunto das boas obras a fim de que se elejam à posição de escolhidos para tarefas mais altas.

6 — *Não te encarceres na dúvida.*

Todo bem, muito antes de externar-se por intermédio desse ou daquele intérprete da Verdade, procede, originariamente, de Deus.

7 — *Estuda sempre.*

A luz do conhecimento armar-te-á o Espírito contra as armadilhas da ignorância.

8 — *Não te irrites.*

Cultiva a caridade e a brandura, a compreensão e a tolerância, porque os mensageiros do Amor encontram dificuldade enorme para se exprimirem com segurança por meio de um coração conservado em vinagre.

9 — *Desculpa incessantemente.*

O ácido da crítica não te piora a realidade, a praga do elogio não te altera o modo justo de ser e, mesmo que te categorizem à conta de mistificador ou embusteiro, esquece a ofensa com que te espanquem o rosto. E, guardando o tesouro da consciência limpa, segue adiante na certeza de que cada criatura percebe a vida do ponto de vista em que se coloca.

10 — *Não tema perseguidores.*

Lembra-te da humildade do Cristo e recorda que, ainda ele, Anjo em forma de homem, estava cercado de adversários gratuitos e de verdugos cruéis, quando escreveu na cruz, com suor e lágrimas, o divino poema da eterna ressurreição.

André Luiz

# 6
# Deus te abençoe

*Cap. X — Item 16*

Logo após fundar o Lar Anália Franco na cidade de São Manuel, no estado de São Paulo, viu-se D. Clélia Rocha em sérias dificuldades para mantê-lo.

Tentando angariar fundos de socorro, a abnegada senhora conduzia crianças aqui e ali, em singelas atividades artísticas. Acordava almas. Comovia corações. E sustentava o laborioso período inicial da obra.

Desembarcando, certa noite, em pequena cidade, foi alvo de injusta manifestação antiespírita. Apupos. Gritaria. Condenações.

D. Clélia, com o auxílio de pessoas bondosas, protege as crianças. Em meio à confusão, vê que um moço robusto se aproxima e, marcando-lhe a cabeça, atira-lhe uma pedra.

O golpe é violento. O sangue escorre. Mas a operosa servidora do bem procede como quem desconhece o agressor.

Medica-se depois.

Há espíritas devotados que surgem. D. Clélia demora-se por mais de uma semana, orando e servindo.

Acabava de atender a um doente em casa particular, quando entra uma senhora aflitíssima. É mãe. Tem o filho acamado com meningite e pede-lhe auxílio espiritual.

D. Clélia não vacila. Corre ao encontro do enfermo e, surpreendida, encontra nele o jovem que a ferira.

Febre alta. Inconsciência. A missionária desdobra-se em desvelo.

Passes. Vigílias. Orações. Enfermagem carinhosa.

Ao fim de seis dias, o doente está salvo. Reconhece-a envergonhado e, quando a sós, beija-lhe respeitosamente as mãos e pergunta:

— A senhora me perdoa?

Ela, contudo, disse apenas, com brandura:

— Deus te abençoe, meu filho.

Mas o exemplo não ficou sem fruto, porque o moço recuperado fez-se valoroso militante da Doutrina Espírita e, ainda hoje, onde se encontra é denodado batalhador do Evangelho.

HILÁRIO SILVA

# 7
# Os outros

*Cap. XIII — Item 13*

Dizes trazer o deserto no coração; entretanto, pensa nos outros.

Muitos pisam teus rastros, procurando-te as mãos no grande vazio...

Pare um pouco e perceber-lhes-ás a presença nas sombras da retaguarda.

Enquanto gritas a própria solidão, compreenderás que a voz deles está morrendo na garganta, em longos gemidos.

Volta-te e vê.

Compara os teus braços robustos com os ossos descarnados que ainda lhes servem de suporte às mãos tristes em que os dedos mirrados são espinhos de dor. Enxuga o teu pranto e observa os olhos fatigados que te contemplam... Falam-te da história de esperanças e sonhos que o tempo soterrou na areia da frustração. Referem-se ao frio cortante do lar perdido e à agonia da romagem nas trevas...

Para e compadece-te.

Deixa que respirem, mesmo que por um momento só, no calor de teu hálito.

Quem poderá medir a extensão da grandeza de uma simples semente caída na terra que o arado martirizou?

A beleza de um minuto nos ensina, muita vez, a povoar de alegria e de luz a existência inteira.

Diz antiga lenda que uma gota de chuva caiu sobre o oceano que a tormenta encapelara e, aflita, perguntou: "Deus de bondade, que farei, sozinha, neste abismo estarrecedor?". O Pai não lhe respondeu, mas, tempos depois, a gota singela era retirada do mar, convertida numa pérola para adornar a coroa de um rei.

Dá também algo de ti aos que bracejam no torvelinho do sofrimento e, mesmo que possas ofertar apenas um pingo de amor aos que padecem, tua dádiva será filtrada pelas correntes da angústia humana e subirá, cristalina e luminescente, na direção dos Céus, para enfeitar a glória de Deus.

MEIMEI

# 8
# A rigor

*Cap. I — Item 7*

*Espírito Santo* — falange dos Emissários da Providência que superintende os grandes movimentos da Humanidade na Terra e no Plano Espiritual.

*Reino de Deus* — estado de sublimação da alma, criado por ela própria, através de reencarnações incessantes.

*Céu* — esferas espirituais santificadas onde habitam Espíritos Superiores, que exteriorizam, do próprio íntimo, a atmosfera de paz e felicidade.

*Milagre* — designação de fatos naturais, cujo mecanismo familiar à Lei Divina ainda se encontra defeso ao entendimento fragmentário da criatura.

*Mistério* — parte ignorada das normas universais que, paulatinamente, é identificada e compreendida pelo espírito humano.

*Sobrenatural* — definição de fenômenos que ainda não se incorporam aos domínios do hábito.

*Santo* — atributo dirigido a determinadas pessoas que aparentemente atenderam, na Terra, à execução do próprio dever.

*Tentação* — posição pessoal de cativeiro interior a vícios instintivos, que ainda não conseguimos superar por nós mesmos.

*Dia de juízo* — oportunidade situada entre dois períodos de existência da alma que se referem à sementeira de ações e à renovação da própria conduta.

*Salvação* — libertação e preservação do Espírito contra o perigo de maiores males, no próprio caminho, a fim de que se confie à construção da própria felicidade, nos domínios do bem, elevando-se a passos mais altos de evolução.

\* \* \*

O Espiritismo tem por missão fundamental, entre os homens, a reforma interior de cada um, fornecendo explicações ao porquê dos destinos, razão pela qual muitos conceitos usuais são por ele restaurados ou corrigidos, para que se faça luz nas consciências e consolo nos corações. Assim como o Cristo não veio destruir a lei, porém cumpri-la, a Doutrina Espírita não veio desdizer os ensinos do Senhor, mas desenvolvê-los, completá-los e explicá-los "em termos claros e para toda a gente, quando foram ditos sob formas alegóricas".

A rigor, a verdade pode caminhar distante da palavra com que aspiramos traduzi-la.

Renove, pois, as expressões do seu pensamento, e a vida renovar-se-lhe-á inteiramente nas fainas de cada hora.

ANDRÉ LUIZ

# 9
# Dinheiro e amor

*Cap. XI — Item 9*

Diante do bem, não pronuncies a palavra *impossível*.

Certamente, sofres a dificuldade dos que herdaram a luta por preço das menores aquisições. Ainda assim, lembra-te de que a virtude não reside no cofre.

Onde encontrarias ouro puro a fazer-se pão na caçarola dos infelizes?

Em que lugar surpreenderias frágil cobertor tecido de apólices para agasalhar a criança largada ao colo da noite?

Entretanto, se o amor te faz lume no pensamento, arrebatarás à imundície a derradeira sobra da mesa, convertendo-a no caldo reconfortante para o enfermo esquecido, e farás do pano pobre o abrigo providencial em favor de quem passa, relegado à intempérie.

Uma garganta de pérolas não emite pequenina frase consoladora, e um crânio esculpido de pedras raras não deixa passar leve fio de ideação.

Todavia, se o amor te palpita na alma, podes falar a palavra renovadora que exclui o poder das trevas e inspirar o trabalho que expresse o apoio e a esperança de muita gente.

Respeita a moeda capaz de fazer o caminho das boas obras, mas não esperes pelo dinheiro a fim de ajudar.

Hoje mesmo, em casa, alguém te pede entendimento e carinho, e, além do reduto doméstico, legiões de pessoas aguardam-te os gestos de fraternidade e compreensão.

Recorda que a fonte da caridade tem nascedouro em ti mesmo e não descreias da possibilidade de auxiliar.

Para transmitir-nos semelhante verdade, Jesus, a sós, sem finança terrestre, usou as margens de um lago simples, ofertou simpatia aos que lhe buscavam a convivência, confortou os enfermos da estrada, falou do Reino de Deus a alguns pescadores de vida singela e transformou o mundo inteiro, revelando-nos, assim, que a caridade tem o tamanho do coração.

MEIMEI

# 10
# Avisos da criação

*Cap. III — Item 19*

A Presença Divina constitui verdade perene.
Até o silêncio da pedra fala em Deus.

\* \* \*

O Universo repousa na disciplina.
O labirinto da selva revela ordem em cada pormenor.

\* \* \*

Na Natureza, tudo pede compreensão e respeito.
O deserto é o cadáver do mar.

\* \* \*

Há sabedoria em todas as coisas.
Embora sem tato, a trepadeira sabe encontrar apoio; não obstante sem visão, o girassol descobre sempre o astro rei.

\* \* \*

Em tudo existe a feição boa.
As nuvens mais sombrias refletem a luz solar.

\* \* \*

Eternidade significa aprimoramento contínuo de repetições.
Sem recapitular movimentos, a Terra desagregar-se-ia.

\* \* \*

A fé construtiva não teme a adversidade.
O penhasco no dilúvio é ponto de segurança.

\* \* \*

A obediência não dispensa a firmeza.
Humilhada e submissa, a água se amolda a qualquer recipiente, mas, resoluta e perseverante, atravessa o rochedo.

\* \* \*

Toda empresa solicita cultura e prática.
Inexperiente, o homem vivo naufraga no bojo das águas; adaptado, o lenho morto navega na superfície do mar.

\* \* \*

O aspecto exterior nem sempre denuncia a realidade.
O vento, supostamente vadio, trabalha na função de cupido das flores.

\* \* \*

Volume não expressa valor.
Apesar de pequenina, a semente é gota de vida.

\* \* \*

A palavra feliz constrói invariavelmente.
Na linguagem do pássaro, todo som faz melodia.

\* \* \*

Valor e humildade são expressões de inteligência sublime.
Se o cume mais alto recebe a chuva em primeiro lugar, o vale mais baixo recolhe, ao fim, a maior parte da água.

\* \* \*

Para revelar-se, o bem não exige trombeta.
Conquanto invisível, a onda de perfume, muita vez, nutre e refaz.

\* \* \*

No campo da evolução, a paz é conquista inevitável da criatura.
A escarpa de hoje será planície amanhã.

André Luiz

# 11
# Médiuns e mediunidades

*Cap. XXVI — Item 10*

No falso pressuposto de que haja médiuns e mediunidades mais importantes entre si, recordemos o velho apólogo que Menênio Agripa contou ao povo amotinado de Roma, a fim de sossegar-lhe o Espírito em discórdia.

"Se o cérebro, por reter a ideação fulgurante, desprezasse o estômago ocupado na tarefa obscura da digestão, a cabeça não conseguiria pensar; se os olhos, por refletirem a luz, declarassem guerra aos intestinos por serem eles vasos seletores de resíduos, decerto que, a breve tempo, a retina seria espelho morto nas trevas, e se o tronco, por sentir-se guindado a pequena altura, condenasse os pés por viverem ao contato do solo, rolaria o corpo sem equilíbrio".

E, de nossa parte, ousaríamos acrescentar à antiga fábula que tudo, no campo de sequência da Natureza, é solidariedade e cooperação.

Se os braços desaparecem, os pés se fazem mais ágeis; em sobrevindo a surdez, acusa o olhar penetração mais intensa; se a visão surge apagada, o tato mais amplamente se desenvolve; se o baço é extirpado, a medula óssea trabalha com mais afinco, de modo a satisfazer as necessidades do sangue.

Qual acontece no mundo orgânico, a Doutrina Espírita é um grande corpo de revelações e de bênçãos, no qual cada médium assume tarefa específica.

Esse esclarece...

Aquele consola...

Outro pensa feridas...

Aquele outro anula perturbações...

Esse incorpora sofredores angustiados...

Aquele transmite elucidações de instrutores devotados à grande beneficência...

Outro recebe a palavra construtiva...

Aquele outro se incumbe da mensagem santificante...

Como é fácil observar, o passe curativo é irmão da prece confortadora, a desobsessão é o reverso da iluminação espiritual, e o verbo fulgente da praça pública é outra face do livro que o silêncio abençoa.

Em nossa esfera de serviço, portanto, já que prescindimos do profissionalismo religioso, não existem médiuns pastores, médiuns gerentes, médiuns líderes ou médiuns diretores, porquanto a cada qual de nós cabe uma parte do grande apostolado de redenção que nos foi atribuído pela Espiritualidade Maior.

E se todos nós, em conjunto, temos um mentor a procurar e a ouvir de maneira especialíssima, no plano da consciência e no santuário do coração, esse mentor é nosso Senhor Jesus Cristo — o Sol do Amor Eterno —, a cuja luz, no grande dia de nossos mais altos ajustamentos, deveremos revelar em nós mesmos a divina essência da sua lição divina: "A cada qual por suas obras".

Cairbar Schutel

# 12
# Em plena era nova

*Cap. XVIII — Item 9*

Há criaturas que deixaram, na Terra, como único rastro da vida robusta que usufruíram na carne, o mausoléu esquecido num canto ermo de cemitério.

Nenhuma lembrança útil.

Nenhuma reminiscência em bases de fraternidade.

Nenhum ato que lhes recorde atitudes como padrões de fé.

Nenhum exemplo edificante nos currículos da existência.

Nenhuma ideia que vencesse a barreira da mediocridade.

Nenhum gesto de amor que lhes granjeasse sobre o nome o orvalho da gratidão.

A terra conservou-lhes, à força, apenas o cadáver — retalho de matéria gasta que lhes vestira o Espírito e que passa a ajudar, sem querer, no adubo às ervas bravas.

Usaram os empréstimos do Pai Magnânimo exclusivamente para si mesmos, olvidando estendê-los aos companheiros de evolução e ignorando que a verdadeira alegria não vive isolada numa só alma, pois que somente viceja com reciprocidade de vibrações entre vários grupos de seres amigos.

Espíritas, muitos de nós já vivemos assim!

Entretanto, agora, os tempos são outros, e as responsabilidades surgem maiores.

O Espiritismo, a rasgar-nos, nas mentes acanhadas e entorpecidas, largos horizontes de ideal superior, impele-nos para frente, rumo aos cimos da perfectibilidade.

A Humanidade ativa e necessitada, a construir seu porvir de triunfos, conclama-nos ao trabalho.

O Espírito é um monumento vivo de Deus — o Criador amorável. Honremos a nossa origem divina, criando o bem como chuva de bênçãos ao longo de nossas próprias pegadas.

Irmãos, sede os vencedores da rotina escravizante.

Em cada dia, renasce a luz de uma nova vida e, com a morte, somente morrem as ilusões.

O Espírito deve ser conhecido por suas obras.

É necessário viver e servir.

É necessário viver, meus irmãos, e ser mais do que pó!

EURÍPEDES BARSANULFO

# 13
# Ação da prece

*Cap. XXV — Item 7*

Você é o lavrador.
O outro é o campo.
Você planta.
O outro produz.
Você é o celeiro.
O outro é o cliente.
Você fornece.
O outro adquire.
Você é o ator.
O outro é o público.
Você representa.
O outro observa.
Você é a palavra.
O outro é o microfone.

Você fala.
O outro transmite.
Você é o artista.
O outro é o instrumento.
Você toca.
O outro responde.
Você é a paisagem.
O outro é a objetiva.
Você surge.
O outro fotografa.
Você é o acontecimento.
O outro é a notícia.
Você age.
O outro conta.
Auxilie quanto puder.
Faça o bem sem olhar a quem.
Você é o desejo de seguir para Deus.
Mas, entre Deus e você, o próximo é a ponte.
O Criador atende às criaturas por meio das criaturas.

    É por isso que a oração é você, mas o seu merecimento está nos outros.

André Luiz

# 14
# Muralha do tempo

> *Cap. XVIII — Item 3*
> *Entrai pela porta estreita; porque larga é a*
> *porta que conduz à perdição. — Jesus*
> *(Mateus, 7:13.)*

Em nos referindo a semelhante afirmativa do Mestre, não nos esqueçamos de que toda porta constitui passagem incrustada em qualquer construção a separar dois lugares, facultando livre curso entre eles.

Porta, desse modo, é peça arquitetônica encontradiça em paredes, muralhas e veículos, permitindo, em todos os casos, franco passadouro.

E as portas referidas por Jesus, a que estrutura se entrosam?

Sem dúvida, a porta estreita e a porta larga pertencem à muralha do tempo, situada à frente de todos nós.

A porta estreita revela o acerto espiritual que nos permite marchar na senda evolutiva, com o justo aproveitamento das horas.

A porta larga nos expressa o desequilíbrio interior, com que somos forçados à dor da reparação, com lastimáveis perdas de tempo.

Aquém da muralha, o passado e o presente.

Além da muralha, o futuro e a eternidade.

De cá, a sementeira do *hoje*.

De lá, a colheita do *amanhã*.

A travessia de uma das portas é ação compulsória para todas as criaturas.

Porta larga — entrada na ilusão —, saída pelo reajuste...

Porta estreita — saída do erro —, entrada na renovação...

O momento atual é de escolha da porta, estreita ou larga.

Os minutos apresentam valores particulares, conforme atravessemos a muralha, pela porta do serviço e da dificuldade ou através da porta dos caprichos enganadores.

Examina, por tua vez, qual a passagem que eleges por teus atos comuns na existência que se desenrola momento a momento.

Por milênios, temos sido viajores do tempo a ir e vir pela porta larga nos círculos de viciação que forjamos para nós mesmos, engodados na autoridade transitória e na posse amoedada, na beleza física e na egolatria aviltante.

Renovemo-nos, pois, em Cristo, seguindo-o nas abençoadas lições da porta estreita, a bendizer os empecilhos da marcha, conservando alegria e esperança na conversão do tempo em dádivas da Felicidade Maior.

EMMANUEL

# 15
# Colher e garganta

*Cap. IX — Item 2*

Imaginemos a língua como sendo a colher do sentimento.
Mentalizemos o ouvido por garganta da alma.
Tudo o que falamos é ingrediente para a digestão espiritual.
Bondade é pão invisível.
Gentileza é água pura.
Otimismo é reconstituinte.
Consolação é analgésico.
Esclarecimento construtivo é vitamina mental.
Paciência é antitóxico.
Perdão é cirurgia reajustante.
Queixa é vinagre.
Censura é pimenta.
Crueldade é veneno.
Calúnia é corrosivo.

Conversa inútil é excedente enfermiço.
Maledicência é comida deteriorada.
Falando, edificamos.
Falando, destruímos.
Falando, ferimos.
Falando, medicamos.
Falando, curamos.
Disse o Divino Mestre: "Bem-aventurados os pacificadores...".
Usemos para com os outros o alimento da paz, porque, estendendo paz aos outros, asseguramos paz a nós mesmos. E, com a paz, conseguiremos espaço e tempo terrestres em dimensões maiores, para que aprendamos e possamos, realmente, servir.

HILÁRIO SILVA

# 16
# Educação

*Cap. VIII — Item 4*

O amor é a base do ensino.
Professor e aluno, cooperação mútua.

\* \* \*

O autoaprimoramento será sempre espontâneo.
Disciplina excessiva, caminho de violência.

\* \* \*

A curiosidade construtiva ajuda o aprendizado.
Indagação ociosa, dúvida enfermiça.

\* \* \*

Egoísmo n'alma gera temor e insegurança.
Evangelho no coração, coragem na consciência.

\* \* \*

Cada criatura é um mundo particular de trabalho e experiência.
Não existe vocação compulsória.

\* \* \*

Toda aula deve nascer do sentimento.
Automatismo na instrução, gelo na ideia.

\* \* \*

A educação real não recompensa nem castiga.
A lição inicial do instrutor envolve em si mesma a responsabilidade pessoal do aprendiz.

\* \* \*

Os desvios da infância e da juventude refletem os desvios da madureza.
Aproveitamento do estudante, eficiência do mestre.

\* \* \*

Maternidade e paternidade são magistérios sublimes.
Lar, primeira escola; pais, primeiros professores; primeiro dia de vida, primeira aula do filho.

\* \* \*

Pais e educadores! Se o lar deve entrosar-se com a escola, o culto do Evangelho em casa deve unir-se à matéria lecionada em classe, na iluminação da mente em trânsito para as esferas superiores da vida.

ANDRÉ LUIZ

# 17
# Crianças doentes

*Cap. VIII — Item 3*

Acalentas nos braços o filhinho robusto que o lar te trouxe e, com razão, te orgulhas dessa pérola viva. Os dedos lembram flores desabrochando, os olhos trazem fulgurações dos astros, os cabelos recordam estrigas de luz e a boca assemelha-se à concha nacarada, em que os teus beijos de ternura desfalecem de amor.

Guarda-o de encontro ao peito por tesouro celeste, mas estende compassivas mãos aos pequeninos enfermos que chegam à Terra como lírios contundidos pelo granizo do sofrimento.

Para muitos deles, o dia claro ainda vem muito longe...

São aves cegas que não conhecem o próprio ninho, pássaros mutilados, esmolando socorro em recantos sombrios da floresta do mundo... Às vezes, parecem anjos pregados na cruz de um corpo paralítico ou mostram no olhar a profunda tristeza da mente anuviada de densas trevas.

Há quem diga que devem ser exterminados para que os homens não se inquietem; contudo, Deus, que é a bondade perfeita, no-los confia hoje, para que a vida, amanhã, levante-se mais bela.

Diante, pois, do teu filhinho quinhoado de reconforto, pensa neles!... São nossos outros filhos do coração que volvem das existências passadas, mendigando entendimento e carinho, a fim de que se desfaçam dos débitos contraídos consigo mesmos...

Entretanto, não lhes aguardes rogativas de compaixão, de vez que, por agora, sabem tão somente padecer e chorar.

Enternece-te e auxilia-os quanto possas!...

E cada vez que lhes ofertes a hora de assistência ou a migalha de serviço, o leito agasalhante ou a lata de leite, a peça de roupa ou a carícia do talco, perceberás que o júbilo do Bem Eterno te envolve a alma no perfume da gratidão e na melodia da bênção.

MEIMEI

# 18
# O Espiritismo pergunta

*Cap. I — Item 9*

Meu irmão, não te permitas impressionar apenas com as alterações que convulsionam hoje todas as frentes de trabalhos e descobrimentos na Terra.

Olha para dentro de ti mesmo e mentaliza o futuro.

O teu corpo físico define a atualidade do teu corpo espiritual.

Já viveste, quanto nós mesmos, vidas incontáveis e trazes, no bojo do Espírito, as conquistas alcançadas em longo percurso de experiências na ronda dos milênios.

Tua mente já dispõe, nas criptas da memória, de recursos enciclopédicos da cultura de todos os grandes centros do planeta.

Teu perispírito já se revestiu com porções da matéria de todos os continentes.

Tuas irradiações, por meio das roupas que te serviram, já marcaram todos os salões da aristocracia e todos os círculos de penúria do plano terrestre.

Tua figura já integrou os quadros do poder e da subalternidade em todas as nações.

Tuas energias genésicas e afetivas já plasmaram corpos na configuração morfológica de todas as raças.

Teus sentidos já foram arrebatados ao torvelinho de todas as diversões.

Tua voz já expressou o bem e o mal em todos os idiomas.

Teu coração já pulsou ao ritmo de todas as paixões.

Teus olhos já se deslumbraram diante de todos os espetáculos conhecidos, das trevas do horrível às magnificências do belo.

Teus ouvidos já registraram todos os tipos de sons e linguagens existentes no mundo.

Teus pulmões já respiraram o ar de todos os climas.

Teu paladar já se banqueteou abusivamente nos acepipes de todos os povos.

Tuas mãos já retiveram e dissiparam fortunas, constituídas por todos os padrões da moeda humana.

Tua pele, em cores diversas, já foi beijada pelo sol de todas as latitudes.

Tua emoção já passou por todos os transes possíveis de renascimentos e mortes.

Eis por que o Espiritismo te pergunta:

— Não julgas que já é tempo de renovar?

Sem renovação, que vale a vida humana?

Se fosse para continuares repetindo aquilo que já foste e o que fizeste, não terias necessidade de novo corpo e de nova existência — prosseguirias de alma jungida à matéria gasta da encarnação precedente, enfeitando um jardim de cadáveres.

Vives novamente na carne para o burilamento de teu Espírito. A reencarnação é o caminho da Grande Luz.

Ama e trabalha. Trabalha e serve.

Perante o bem, quase sempre, temos sido somente constantes na inconstância e fiéis à infidelidade, esquecidos de que tudo se transforma, com exceção da necessidade de transformar.

Militão Pacheco

# 19
# Guarda-te em Deus

*Cap. VI — Item 8*

Lembra-te de Deus para que saibas agradecer os talentos da vida.

Se fatigado, pensa nele, o Eterno Pai que jamais desfalece na Criação.

Se triste, eleva-lhe os sentimentos, meditando na alegria solar com que, toda manhã, sua infinita bondade dissolve as trevas.

Se doente, centraliza-te no perfeito equilíbrio com que a sua compaixão reajusta os quadros da Natureza, mesmo quando a tempestade haja destruído todos os recursos que os milênios acumularam.

Se incompreendido, volta-te para ele, o eterno doador de todas as bênçãos, quantas vezes escarnecido por nossas próprias fraquezas, sem que se lhe desanime a paciência incomensurável, quanto aos arrastamentos de nossas imperfeições animalizantes.

Se humilhado, entrega-lhe as dores da sensibilidade ferida ou do brio menosprezado, refletindo no celeste anonimato em que se lhe esconde a inconcebível grandeza, para que nos creiamos autores do bem que a ele pertence em todas as circunstâncias.

Se sozinho, busca-lhe a companhia sublime na pessoa daqueles que te seguem na retaguarda, cambaleantes de sofrimento, mais solitários que tu mesmo, na provação e na miséria que lhes vergastam as horas e lhes crucificam as esperanças.

Se aflito, confia-lhe as ansiedades, compreendendo que nele, o Imperecível Amor, todas as tormentas se apaziguam.

Seja qual for a dificuldade, recorda o Todo-Misericordioso que não nos esquece.

E, abraçando o próprio dever como sendo a expressão de sua divina vontade para os teus passos de cada dia, encontrarás na oração a força verdadeira de tua fé a erguer-te das obscuridades e dos problemas da Terra para a rota de luz que te aponta as sendas do Céu.

EMMANUEL

# 20
# Contrastes

*Cap. III — Item 6*

Existem contrastes exprimindo desigualdades.

Muitas criaturas encarnadas querem fugir da vida humana; contudo, as filas da reencarnação congregam milhares de candidatos ansiosos pelo renascimento...

Legiões de trabalhadores se esquivam do trabalho; no entanto, sempre há multidões de desempregados...

Numerosos alunos negligenciam os estudos; todavia, inúmeros jovens não têm qualquer oportunidade de acesso às casas de instrução, embora o desejem ardentemente...

* * *

Existem contrastes tecendo contradições.

Tudo prova a presença do Criador no Universo; todavia, mentes recheadas de conhecimento não creem na realidade divina...

Todos podemos dar algo em favor do próximo; no entanto, muitos possuem em abundância e nada oferecem a ninguém...

Temos a apologia da paz onipresente; contudo, extensa maioria forja a guerra dentro de si mesmo...

\* \* \*

Existem contrastes gravando ensinamentos.

Há direitos idênticos e deveres semelhantes; contudo, há vontades diferentes, experiências diversas e méritos desiguais...

A caridade mais oculta aos homens é, no entanto, a mais conhecida por Deus...

A vida humana constitui cópia imperfeita da vida espiritual; todavia, a perfeição das grandes almas desencarnadas da Terra foi adquirida no solo rude do planeta...

ANDRÉ LUIZ

# 21
# Discípulos do Cristo

*Cap. VI — Item 3*

Somos discípulos do Cristo.

Mas, repetindo com ele a sublime afirmação — *Pai nosso que estais no céu* —, esperamos que Deus se transforme em nosso escravo particular, atento às nossas ilusões e caprichos.

Somos discípulos do Cristo.

Contudo, redizendo-lhe as inesquecíveis palavras de submissão ao Criador — *seja feita a vossa vontade* —, assemelhamo-nos a vulcões de intemperança mental, vomitando fumo de rebeldia e lava de imprecações sempre que nos sintamos contrariados na execução de pequeninos desejos.

Somos discípulos do Cristo.

Entretanto, refazendo-lhe a súplica ao Pai de Infinito Amor — *o pão de cada dia dai-nos hoje* —, reclamamos a carcaça do boi e a safra do trigo exclusivamente para a nossa casa, esquecendo-nos de que, ao redor de nossa mesa insaciável, milhares de companheiros desfalecem de fome.

Somos discípulos do Cristo.

Todavia, depois de implorar com o sábio Orientador à Eterna Justiça — *perdoai as nossas dívidas* —, mentalizamos, de imediato, a melhor maneira de cultivar aversões e malquerenças, aperfeiçoando, assim, os métodos de odiar os mais fortes e oprimir os mais fracos.

Somos discípulos do Cristo.

No entanto, mal acabamos de pedir a Deus em companhia do Grande Benfeitor — *não nos deixeis cair em tentação* —, procuramos, por nós mesmos, aprisionar o sentimento nas esparrelas do vício.

Somos discípulos do Cristo.

Contudo, rogando ao Todo-Poderoso, junto do Inefável Companheiro — *livrai-nos de todo o mal* —, construímos canhões e fabricamos bombas mortíferas para arrasar a vida dos semelhantes.

Somos discípulos do Cristo.

Mas convertemos o próximo em alimária de nossos interesses escusos, olvidando o dever da fraternidade, para desfrutarmos, no mundo, a parte do leão.

É por isso que somos, na atualidade da Terra, os cristãos incrédulos, que ensinamos sem crer e pregamos sem praticar, trazendo o cérebro luminoso e o coração amargo.

E é assim que, atormentados por dificuldades e crises de toda espécie — aflitiva colheita de velhos males —, cada qual de nós tem necessidade de prosternar-se perante o Mestre Divino, à maneira do escriba do Evangelho, guardando n'alma o próprio sonho de felicidade, enfermiço ou semimorto, a exorar em contraditória rogativa:

— Senhor, eu creio! Ajuda a minha incredulidade!

JACINTO FAGUNDES

# 22
# A poesia perdida

*Cap. VI — Item 4*

O Consolador é a onipresença de Jesus na Terra.
Ao influxo da benemerência celeste, ele asserena os gestos impensados das criaturas que gemem esporeadas pelas provações; aplaca os gritos blasfemos que se elevam de muitas bocas com requintes insaciáveis de orgulho; recompõe os rostos incendiados pelo fogo de multifárias paixões e soergue os proscritos do remorso que se escondem nas dores devoradoras, desmemoriados na retificação que o destino lhes retraça.
O Consolador Prometido!...
*Sursum corda!*
*Res, non verba!...*
Seguindo-lhe os ditames, jamais desfites o alvo em mira, pois os olhos voltívolos não podem fixar os painéis vislumbrados nos cimos.

Recorda que todas as cenas humanas têm seus bastidores espirituais. Se vives em ânsia de paz interior, sustém o império sobre ti mesmo.

Espaneja em ti a carusma dos preconceitos que te dançam na mente qual poeira de sombra, entenebrecendo-te a razão.

Recolore os ideais com novas tintas de alegria, esperança e coragem no combate aos erros bastas vezes milenares.

Estende um pensamento bom aos céticos transviados no dédalo das indagações contraditórias, ferretoados no duelo interior da dúvida.

Foge à voz bramidora da censura para que os teus lábios festejem os ouvidos alheios com expressões de conselho e acentos de consolo.

Borda a palavra com doçura e repete mansamente a própria bênção quando a tua voz se perca entre os clamores dos que passam a vociferar rebeldia e avançam espavoridos por veredas em chamas.

Socorre as mães desditosas, cujos filhinhos doentes vertem lágrimas a se transmutarem nos livores macilentos da morte.

Afaga, ao calor das frases de fraternidade revigoradora, as têmporas encanecidas e latejantes que te suplicam algum óbolo de carinho.

Desfaze o véu do pranto de agonia de quem chora às ocultas, no sarcófago das trevas de si mesmo.

Derrama preces confortativas entre os peregrinos da morte que não se resguardaram para a grande viagem e carreiam o coração em atropelos, de espanto a espanto, ante a perpetuidade da vida.

Em toda estrada, vicejam alfombras de sorrisos e chovem lágrimas de aflição, mas o Amor, com o Cristo Jesus, recupera a poesia perdida ao longo de nosso caminho, pois só ele transforma o miasma em perfume, o incêndio em luz, o espinho em flor, o deserto em jardim e a queda em ascensão.

Manuel Quintão

# 23
# No reino da ação

*Cap. X — Item 1*

Não condene.
Ajude o outro.
Cultive serenidade.
Use os próprios recursos para fazer o bem.
Proceda com bondade, sem exibição de virtude.
Seja qual for o problema, faça o melhor que você puder.
Não admita a supremacia do mal.
Fuja de todo pensamento, palavra, atitude ou gesto que possam agravar as complicações de alguém.
Ouça com paciência e fale amparando.
Recorde que você, amanhã, talvez esteja precisando também de auxílio e, em toda situação indesejável, mesmo

que o próximo demonstre necessidade de reprimenda, observe, conforme a lição de Jesus, se você está em condições de atirar a pedra.

ANDRÉ LUIZ

# 24
# Caminha alegremente

*Cap. VIII — Item 1*
*Tendo cuidado de que ninguém se prive da*
*graça de Deus e de que nenhuma raiz de*
*amargura, brotando, vos perturbe e, por ela,*
*muitos se contaminem. — Paulo*
(HEBREUS, 12:15.)

Raízes de amargura existirão sempre nos corações humanos, aqui e ali, como sementes de plantas inúteis ou venenosas estarão no seio de qualquer campo.

Contudo, tanto quanto é preciso expulsar a erva daninha para que haja colheita nobre e farta, é indispensável relegar ao esquecimento os problemas superados e as provações vencidas, para que reminiscências destruidoras não brotem no solo da alma, produzindo os frutos azedos das palavras e das ações infelizes.

Mãos prestimosas arrancarão o escalracho em torno da lavoura nascente, e atitudes valorosas devem extirpar do Espírito as recordações amargas, suscetíveis de perturbar o caminho.

Se alguém te trouxe dano ou se alguém te feriu, pensa nos danos e nas feridas que terás causado a outrem, muitas vezes sem perceber. E tanto quanto estimas ser desculpado, perdoa também, sem quaisquer restrições.

Observa a sabedoria de Deus na esfera da Natureza.

A fonte dissolve os detritos que lhe arrojam.

A luz não faz coleção de sombras.

Caminha alegremente e constrói para o bem, porque só o bem permanecerá.

Seja qual for a dor que hajas sofrido, lembra-te de que tudo amanhã será melhor se não engarrafares fel ou vinagre no coração.

EMMANUEL

# 25
# Fazendo sol

*Cap. V — Item 18*

Amanheceste chorando pelos que te não compreendem.
Amigos diletos rixaram contigo.
Nos mais amados, viste o retrato da ingratidão.
Aspiravas a desentranhar o carinho nos corações queridos com a pureza e a simplicidade da abelha que extrai o néctar das flores sem alterá-las e, porque não conseguiste, queres morrer...
Não te encarceres, porém, nos laços do desespero.
Afirmas-te à procura do Amor, mas não te recordas daqueles para quem o teu simples olhar seria assim como o sorriso da estrela, descerrado nas trevas.
Mostram a cabeça encanecida, à feição de nossos pais, são irmãos semelhantes a nós ou são jovens e crianças que poderiam ser nossos filhos... Contudo, estiram-se em leitos de pedra ou

refugiam-se em antros, fincados no solo, quais se fossem proscritos atormentados.

Não te pedem mais que um pão, a fim de que se lhes restaurem as energias do corpo enfermo, ou uma palavra de esperança que lhes console a alma dorida.

Não percas o tesouro das horas, na aflição sem proveito.

Podes ser, ainda hoje, o apoio dos que esmorecem, desalentados, ou a luz dos que jazem nas sombras; podes estender o cobertor agasalhante sobre aqueles a quem a noite pede perdão por ser longa e fria, aliviar o suplício dos companheiros que a moléstia carcome ou dizer a frase calmante para os que enlouqueceram de sofrimento...

Sai, pois, de ti mesmo para conhecer a glória de amar!...

Perceberás, então, que a existência na Terra é apenas um dia na eternidade, aprendendo a iluminá-la de Amor, como quem anda fazendo sol, nos caminhos da vida, e encontrarás, mais tarde, em cânticos de alegria, todos aqueles que te não amam agora, amando-te muito mais, por te buscarem a luz no instante do entardecer.

Meimei

# 26
# No retoque da palavra

*Cap. XI — Item 7*

Seja onde for, não afirme: — *Detesto esse lugar!*
Cada criatura vive na terra dos seus credores.

\* \* \*

Ouvindo a frase infeliz, não grite: — *É um desaforo!*
Invigilância alheia pede a nossa vigilância maior.

\* \* \*

Atravessando a madureza, não se lamente: — *Já estou cansado.*
Sintoma de exaustão, vontade enferma.

\* \* \*

Sentindo a mocidade, não assevere: — *Preciso gozar a vida!*
Romagem terrestre não é excursão turística.

\* \* \*

À frente do amigo endividado, não ameace: — *Hoje ou nunca!*
Agora alguém se compromete, amanhã seremos nós.

\* \* \*

Ao companheiro menos categorizado, não ordene: — *Faça isso!*
Indelicadeza no trabalho, ditadura ridícula.

\* \* \*

Perante o doente, não exclame: — *Pobre coitado!*
Compaixão desatenta, crueldade indireta.

\* \* \*

Ao vizinho faltoso, nunca diga: — *Dispenso-lhe a amizade.*
Todos somos interdependentes.

\* \* \*

Sob o clima da provação, não se queixe: — *Não suporto mais!*
O fardo do Espírito gravita na órbita das suas forças.

\* \* \*

No cumprimento do dever, não clame: — *Estou sozinho.*
Ninguém vive desamparado.

O Espírito da Verdade

\* \* \*

Colhido pelo desapontamento, não reclame: — *Que azar!*
A Lei Divina não chancela imprevistos.

\* \* \*

À face do ideal, não se lastime: — *Ninguém me ajuda.*
No Espiritismo, temos responsabilidade pessoal com o Cristo.

ANDRÉ LUIZ

# 27
# Carta a meu filho

*Cap. XIV — Item 9*

Meu filho, dito esta carta para que você saiba que estou vivo.

Quando você me estendeu a taça envenenada que me liquidou a existência, não pensávamos nisso. Nem você, nem eu.

A ideia da morte vagueava longe de mim, porque esperava de suas mãos apenas o remédio anestesiante para a minha enxaqueca.

Entendi tudo, porém, quando você, transtornado, cerrou subitamente a porta e exclamou com frieza:

— Morre, velho!

As convulsões que me tomavam de improviso traumatizavam-me a cabeça...

Era como se afiada navalha me cortasse as vísceras num braseiro de dor.

Pude ainda, no entanto, reunir minhas forças em suprema ansiedade e contemplar você diante de meus olhos.

Suas palavras ressoavam-me aos ouvidos: "Morre, velho!".

Era tudo o que você, alterado e irreconhecível, tinha agora a dizer.

Entretanto, o amor em minh'alma era o mesmo.

Tornei à noite recuada quando o afaguei pela primeira vez.

Sua mãezinha dormia, extenuada...

Pequenino e tenro de encontro ao meu peito, senti em você meu próprio coração a vagir nos braços...

E as recordações desfilaram, sucessivas.

Você, qual passarinho contente a abrigar-se em meu colo, o álbum de fotografias em que sua imagem apresentava desenvolvimento gradativo em todas as posições, as festas de aniversário e os bolos coloridos enfeitados de velas que seus lábios miúdos apagavam sempre numa explosão de alegria... Rememorei nossa velha casa, a princípio humilde e pobre, que o meu suor convertera em larga habitação, rica e farta... Agoniado, recordei incidentes, desde muito esquecidos, nos quais me observava expulsando crianças ternas e maltrapilhas do grande jardim de inverno para que nosso lar fosse apenas seu... Reencontrei-me, trabalhando qual suarento animal, para que as facilidades do mundo nos atendessem as ilusões e os caprichos...

Em todos os quadros a se me reavivarem na lembrança, era você o grande soberano de nosso pequeno mundo...

O passado continuou a desdobrar-se, dentro de mim. Revisei nossa luta para que os livros lhe modificassem a mente, o baldado esforço para que a mocidade se lhe erigisse em alicerce nobre ao futuro... De volta às antigas preocupações que me assaltavam, anotei-lhe, de novo, as extravagâncias contínuas, os aperitivos, os bailes, os prazeres, as companhias desaconselháveis, a rebeldia constante e o carro de luxo com que o presenteei num momento infeliz...

Filho do meu coração, tudo isso revi...

Dera-lhe todo o dinheiro que conseguira ajuntar, mas você desejava o resto.

Nas vascas da morte, vi-o, ainda, mãos ansiosas, arrebatando-me o chaveiro para surripiar as últimas joias de sua mãe... Vi perfeitamente quando você empalmou o dinheiro que se mantinha fora de nossa conta bancária e, porque não podia odiá-lo, orei — talvez com fervor e sinceridade pela primeira vez —, rogando a Deus nos abençoasse e compreendendo, tardiamente, que a verdadeira felicidade de nossos filhos reside, antes de tudo, no trabalho e na educação com que lhes venhamos a honrar a vida.

Não dito esta carta para acusá-lo.

Nem de leve me passou pelo pensamento o propósito de anunciar-lhe o nome.

Você continua sangue de meu sangue, coração de meu coração.

Muitas vezes, ouvi dizer que há filhos criminosos, mas entendo hoje que, na maioria das circunstâncias, há, junto deles, pais delinquentes por acreditarem muito mais na força do cofre que na riqueza do Espírito, afogando-os, desde cedo, na sombra da preguiça e no vício da ingratidão.

Não venho falar, assim, unicamente a você, porque seu erro é o meu erro igualmente. Falo também a outros pais, companheiros meus de esperança, para que se precatem contra o demônio do ouro desnecessário, porque todo ouro desnecessário, quando não busca o conselho da caridade, é tentação à loucura.

Há quem diga que somente as mães sabem amar e, realmente, o regaço materno é uma bênção do paraíso. Entretanto, meu filho, os pais também amam e, por amar imensamente a você, dirijo-lhe a presente mensagem, afirmando-lhe estar em prece para que a nossa falta encontre socorro e tolerância nos tribunais da Divina Justiça, aos quais rogo me concedam, algum dia, a felicidade de tê-lo novamente ao meu lado, por retrato vivo de meu carinho... Então nós dois juntos, de passo acertado no trabalho e no bem, aprenderemos, enfim, como servir ao mundo, servindo a Deus.

J.

# 28
# Lições do momento

*Cap. V — Item 4*

Deus é amor invariável, e o amor desafivela os grilhões do Espírito.

Se há repouso na consciência, a evolução da alma ergue-se, desenvolta, dos alicerces insubstituíveis do sacrifício.

Quem não se bate pelo bem desce imperceptivelmente para as fileiras do mal.

Junto à correção sempre existe o desacerto, exaltando o mérito do dever na conduta digna.

Identifique, na dificuldade, o favor da Providência Divina para dilatar-lhe a paz, sentindo, no imprevisto da experiência mais grave, o fulcro de incitamento à perseverança na boa intenção e vendo, na tibiez de quantos imergiram na invigilância, o exemplo indelével daquilo que não deve ser feito.

Quanto maior a sombra em torno, mais valiosa a fonte da luz.

Desse modo, a alegria pura viceja entre a dor e o obstáculo; a resignação santificante nasce em meio às provas difíceis; a renúncia intrépida irrompe no seio da injustiça das emulações acirradas, e a pureza construtiva surge, não raro, em ambiente de viciação mais ampla.

Eis por que, em seu círculo pessoal, se entrecruzam mensagens importantes e diversas a lhe doarem o estímulo e a consolação, o entendimento e a claridade de que você carece para ajustar-se espiritualmente mediante as lides variadas de cada instante.

O chefe irritadiço é instrumento providencial da corrigenda.

O companheiro problemático deixa-nos livre caminho à sementeira da fraternidade sem mescla.

O engano é precioso contraste a ressaltar as linhas configurativas da atitude melhor.

A tortuosidade do caminho demonstra a excelência da estrada reta.

Faça, pois, do momento que transcorre a lição recolhida para o momento a transcorrer, verificando quantas vezes, em vinte e quatro horas, você é requisitado a auxiliar os semelhantes, e não regateie cooperação.

Na oficina de trabalho, buscam-lhe a gentileza no amparo de muitos corações que se sentem ao desabrigo.

Na via pública, esbarram-lhe o passo companheiros que vão e vêm buscando encontrar o sorriso que você pode ofertar-lhes como incentivo à esperança.

No recesso do lar, o alvorecer encontra-lhe a presença em novas possibilidades de exaltar a confiança nos desígnios da Altura.

Na conversação comum, requisições ostensivas auscultam--lhe a disposição de estender conhecimento e virtude, na enfermagem das chagas morais entrevistas na modulação das vozes e nos traços dos semblantes, afora variegados ensejos de assistir o próximo a lhe desafiarem a eficiência e a vigilância, tais como a necessidade interior estampada no silêncio do visitante, o azedume do colega menos feliz, o doente a buscar-lhe os préstimos, o sofredor a rogar-lhe compreensão, a abordagem da criancinha desvalida, a surpresa menos agradável, a correspondência a exigir-lhe a atenção ou o noticiário intranquilo que a imprensa propala.

Pureza inoperante é utopia igual a qualquer outra e, em razão disso, ignorar a poça infecta é manter-lhe a inconveniência.

Não menospreze, assim, a lição do momento na certeza de que renovamos ideias, experiências e destinos, cada dia, segundo as particularidades das manifestações de nosso livre-arbítrio.

André Luiz

# 29
# Se tens fé

*Cap. XXVII — Item 11*

Em Doutrina Espírita, fé representa dever de raciocinar com responsabilidade de viver.

Desse modo, não te restrinjas à confiança inerte, porque a existência em toda parte nos honra, a cada um, com a obrigação de servir.

Se tens fé, não permitirás que os eventos humanos te desmantelem a fortaleza do coração.

Transitarás no mundo, sabendo que o Divino Equilíbrio permanece vigilante e, mesmo que os homens transformem o lar terrestre em campo de lodo e sangue, não ignoras que a Infinita Bondade converterá um e outro em solo adubado para que a vida refloresça e prossiga em triunfo.

Se tens fé, não registrarás os golpes da incompreensão alheia, porquanto identificarás a ignorância por miséria extrema do Espírito e educarás generosamente a boca que injuria e a mão que apedreja.

Ainda que os mais amados te releguem à solidão, avançarás para frente, entendendo e ajudando, na certeza de que o trabalho te envolverá o sentimento em nova luz de esperança e consolação.

Se tens fé, não te limitarás a dizê-la simplesmente, qual se a oração sem as boas obras te outorgasse direitos e privilégios inadmissíveis na Justiça de Deus, mas, sim caminharás realizando a vontade do Criador, que é sempre o bem para todas as criaturas.

Se tens fé, sustentarás, sobretudo, o esforço diário do próprio burilamento, por meio das pequeninas e difíceis vitórias sobre a natureza inferior, como sendo o mais alto serviço que podes prestar aos outros, de vez que, aperfeiçoando a nós mesmos, estaremos habilitando a consciência para refletir, com segurança, o amor e a sabedoria da Lei.

EMMANUEL

# 30
# As estatuetas

*Cap. X — Item 14*

O diálogo, à noite, entre as duas senhoras, continuava na copa:

— Você, minha filha, deve perdoar, esquecer... Lá diz o Evangelho que costumamos ver o argueiro no olho do vizinho, sem ver a trave dentro do nosso...

— Mas, mamãe, foi um insulto! O moço parou à frente da janela, viu as minhas estatuetas e atirou a pedra!

E Dona Balbina, senhora espírita de generoso coração, prosseguia falando à filha, Dona Rogéria:

— Ele é um pobre rapaz obsidiado.

— História! É uma fera solta, isso sim!

— Mas Dona Margarida, a mãe dele, foi sempre amiga...

— Isso não vem ao caso... Cada qual é responsável pelos próprios atos. A senhora sabe que ele é maior.

— Precisamos perdoar para sermos perdoados...

— Ser bom é uma coisa, e outra coisa é ser tolo! Darei queixa à polícia... Somente não queria fazê-lo sem ouvi-la; contudo, Fábio e eu estamos decididos. Meu Fábio já anda cansado do volante... Pobre marido!... Dinheiro cavado em caminhão é duro de ganhar...

— Meu conselho, filha, é desculpar e desculpar...

— Mas o prejuízo é de dois mil cruzeiros, além da injúria!

— Mesmo assim, o perdão é o melhor remédio.

— Ah! que será do mundo, assim, sem corrigenda, sem justiça?

Nesse instante, alguém bate à porta.

Ambas atendem.

O portador comunica:

— Um desastre! O senhor Fábio trompou uma casa, e a parede caiu!

Mãe e filha correm para o local, que se encontra entulhado de multidão, e veem a casa acidentada. É justamente a moradia de Dona Margarida, a mãe do rapaz que atirara a pedra.

O caminhão, num lance estouvado, derribara uma parede lateral e penetrara fundo, inutilizando todo o mobiliário da sala de refeições.

Apagara-se a luz no quarteirão, e as duas, sem que ninguém as reconhecesse, podiam escutar Dona Margarida, que sustentava uma vela acesa, diante do guarda de trânsito:

— Peço-lhe — dizia ao fiscal — não abrir processo algum. Não quero reclamações.

— Mas, Dona Margarida — insistia o funcionário —, a senhora vai ter aqui um prejuízo para mais de quarenta contos!

— Não importa. Deus dará jeito. "Seu" Fábio e Dona Rogéria são meus amigos de muito tempo.

As duas senhoras, porém, não puderam continuar ouvindo, pois a voz irritada de Fábio elevou-se da multidão e era necessário socorrê-lo, porque o infeliz estava ébrio.

Hilário Silva

# 31
# Oração da migalha

*Cap. XIII — Item 5*

Senhor!

Quando alguém estiver em oração, referindo-se à caridade, faze que esse alguém me recorde, para que eu consiga igualmente ajudar em teu nome.

Quantas criaturas me fitam, indiferentes, e quantas me abandonam por lixo imprestável!...

Dizem que sou moeda insignificante, sem utilidade para ninguém; contudo, desejo transformar-me na gota de remédio para a criança doente. Atiram-me a distância, quando surjo na forma do pedaço de pão que sobra à mesa; no entanto, aspiro a fazer, ainda, a alegria dos que choram de fome. Muita gente considera que sou trapo velho para o esfregão, mas anseio agasalhar os que atravessam a noite de pele ao vento... Outros alegam que sou resto de prato para a calha do esgoto, mas, encontrando mãos fraternas que me auxiliem, posso converter-me na sopa generosa para alimento e consolo dos que jazem sozinhos no catre do infortúnio, refletindo na morte.

Afirmam que sou apenas migalha e, por isso, me desprezam... Talvez não saibam que, certa vez, quando quiseste falar em amor, narraste a história de uma dracma perdida e, reportando-te ao Reino de Deus, tomaste uma semente de mostarda por base de teus ensinos.

Faze, Senhor, que os homens me aproveitem nas obras do bem eterno!... E, para que me compreendam a capacidade de trabalhar, dize-lhes que, um dia, estivemos juntos em Jerusalém, no templo de Salomão, entre a riqueza dos poderosos e as joias faiscantes do santuário, e conta-lhes que me viste e me abençoaste nos dedos mirrados de pobre viúva, na feição de um vintém.

MEIMEI

# 32
# Na saúde, na doença

*Cap. XVII — Item 11*

Em toda circunstância, trate a própria saúde, prevenindo-se da doença com os recursos encontrados em você mesmo.

Cada dia é novo ensejo para adquirirmos enfermidade ou curar nossos males.

O melhor remédio, antes de qualquer outro, é a vontade sadia, porque a vontade débil enfraquece a imaginação, e a imaginação doentia debilita o corpo.

Doença do corpo pode criar doença da alma, e doença da alma pode acarretar doença do corpo.

Vida atribulada nem sempre significa vida bem vivida.

Conquanto a existência em torno possa mostrar-se febricitante e turbilhonária, resguarde-se contra as intempéries emocionais no clima íntimo do próprio ser, ajudando e servindo com alegria aos menos felizes, na certeza de que o enfermeiro diligente conserva a integridade mental, muito embora convivendo, dia a dia, com dezenas de enfermos em grandes desequilíbrios.

Somos parte integrante da farmácia do nosso próximo.

Observe as reações que a sua presença provoca no semelhante e pacifique aqueles com quem convive, não só pela palavra, mas até mesmo pela aparência e pelas atitudes, pois, com a simples aproximação, funcionamos como tranquilizadores ou excitantes de quem nos cerca, aliviando ou agravando os seus padecimentos físicos e morais...

Muitas doenças nascem da suspeita injustificável.

Seja sincero com você e com os outros na apreciação de sintomas que se reportem a desajustamentos orgânicos, tratando de assuntos dessa natureza, sem alarde e sem exagero.

O maior restaurador de forças é a consciência reta que asserena as emoções.

Se o leito de dor é agasalho imposto ao seu corpo enfermo, lembre-se de que a meditação é santuário invisível para o abrigo do Espírito em dificuldade e que a prece refunde e sublima as energias da alma.

Doença é contingência natural, inevitável às criaturas em processo de evolução; por isso, esforce-se por abolir inquietações quanto a problemas de saúde física, atendendo ao equilíbrio orgânico e confiando na Vontade Superior.

ANDRÉ LUIZ

## 33
# Página do caminho

*Cap. X — Item 5*

Não aguardes o amigo perfeito para as obras do bem.

Esperavas ansiosamente a criatura irmã, na soleira do lar, e o matrimônio trouxe alguém a reclamar-te sacrifício e ternura.

Contavas com teu filho, mas teu filho alcançou a mocidade sem ouvir-te as esperanças.

Sustentavas-te no companheiro de ideal e, de momento para outro, recolheste mistura vinagrosa na ânfora da amizade em que sorvias água pura.

Mantinhas a fé no orientador que te merecia veneração e, um dia, até ele desapareceu de teus olhos, arrebatado por terríveis enganos.

Contudo, apesar da dor de perder, continua no trabalho edificante que vieste realizar...

Ninguém reprova o doente, porque sofra mal-humorado.

Ninguém censura a árvore que deixou de produzir, porque o lenhador lhe haja decepado os braços frondejantes.

Quase sempre, aqueles que tomamos por afetos mais doces, crendo abraçá-los por sustentáculos da luta, simbolizam tarefas que solicitam renúncia e apostolados a exigirem amor.

Não importa o gelo da indiferença, nem o bramido da incompreensão, se buscamos servir.

O coração mais belo que pulsou entre os homens respirava na multidão e seguia só. Contava com legiões de Espíritos angélicos e aproveitou o concurso de amigos frágeis que o abandonaram na hora extrema. Ajudava a todos e chorou sem ninguém. Mas, ao carregar a cruz no monte áspero, ensinou-nos que as asas da imortalidade podem ser extraídas do fardo de aflição e que, no território moral do bem, alma alguma caminha solitária, porque vive tranquila na presença de Deus.

Albino Teixeira

# 34
# A descoberto

*Cap. XXIV — Item 2*
*[...] nada há encoberto que não haja de*
*revelar-se, nem oculto que não haja de*
*saber-se. — Jesus*
*(Mateus, 10:26.)*

Na atualidade, é deveras significativa a extensão do progresso humano nos variados campos da inteligência.

Pormenores da vida microscópica são vislumbrados por olhos pesquisadores e argutos. Ninhos do cosmo infinito são tateados por delicada instrumentação astronômica. Aparelhagem múltipla ausculta o corpo físico, desvelando-lhe a intimidade. Experimentos inúmeros atestam a grandeza de tudo o que existe no seio da própria Terra.

Avançando em todas as direções, o homem alcança eloquente patrimônio intelectual, senhoreando leis e princípios que agrupam os seres e as coisas, mantendo o equilíbrio e a ordem do Universo.

Entretanto, na razão direta do conhecimento que vai conquistando, o Espírito divisa horizontes mais vastos e fascinantes, aguçando o esforço do raciocínio. Quanto mais conhece, mais se lhe amplia aos olhos a imensidão do desconhecido. Quanto mais lógica no estudo, mais se lhe patenteia a exiguidade do próprio discernimento em face da excelsitude do Todo-Divino.

Alma alguma pode encobrir, para si mesma, as próprias manifestações no quadro da vida, e, de igual modo, perante a lei, ninguém consegue disfarçar o menor pensamento.

Tudo pode ser descortinado, sopesado, medido...

Assim, não só a realidade ainda ignorada por nós, como também as mentalizações e os atos de nosso próprio caminho, serão revisados e conhecidos sempre que semelhante medida se fizer necessária no local exato e na época oportuna.

"Nada há encoberto que não haja de revelar-se, nem oculto que não haja de saber-se", esclarece o Senhor.

Recordemos, assim, o ensinamento vivo em nosso próprio passo, agindo na esfera particular como quem vive à frente da multidão, porquanto os nossos mínimos movimentos, na soledade ou na sombra, podem ser também trazidos ao campo da plena luz.

Emmanuel

# 35
# Se você fizer força

*Cap. XXVII — Item 8*

Diz você que não pode respirar o clima de luta na experiência doméstica; entretanto, se fizer força no cultivo da renúncia santificante, fará da própria casa um refúgio de amor.

Diz você que não mais suporta o amigo desajustado, mas, se fizer força, no exercício da tolerância, é possível que consiga convertê-lo amanhã em colaborador ideal.

Diz você experimentar imenso cansaço diante do chefe atrabiliário e inconsequente; contudo, se fizer força, sustentando a paciência, obterá nele, ainda hoje, um amigo fiel.

Diz você que não adianta ensinar o bem; no entanto, se fizer força para exemplificar o que ensina, atingirá realizações de valor inimaginável.

Diz você que se nota assaltado por enorme desânimo na pregação construtiva; entretanto, se fizer força, na sementeira da educação, transfigurará o seu verbo em facho de luz.

Diz você estar desistindo da caridade ante os golpes da ingratidão; mas, se fizer força para prosseguir, ajudando sem exigência, surpreenderá na caridade a perfeita alegria.

Diz você que está doente e nada consegue de nobre e útil; no entanto, se fizer força para superar as próprias deficiências, vencerá a enfermidade, avançando em serviço e merecimento.

Diz você que a conversação já lhe esgotou a reserva nervosa e dispõe-se à retirada para o repouso justo; contudo, se fizer força para continuar atendendo aos ouvintes, olvidando a própria fadiga, ninguém pode prever a extensão da colheita de bênçãos que virá da sua plantação de gentileza e bondade.

O grande bem de todos é feito nos pequenos sacrifícios de cada um.

E se fizermos força para viver, segundo os bons conselhos que articulamos para uso dos outros, em breve tempo transformaremos a Terra em luminoso caminho para a glória real.

André Luiz

# 36
# O filho do orgulho

*Cap. VII — Item 11*

O melindre — filho do orgulho — propele a criatura a situar-se acima do bem de todos. É a vaidade que se contrapõe ao interesse geral.

Assim, quando o espírita se melindra, julga-se mais importante que o Espiritismo e pretende-se melhor que a própria tarefa libertadora em que se consola e esclarece.

O melindre gera a prevenção negativa, agravando problemas e acentuando dificuldades em vez de aboli-los. Essa alergia moral demonstra má vontade e transpira incoerência, estabelecendo moléstias obscuras nos tecidos sutis da alma.

Evitemos tal sensibilidade de porcelana, que não tem razão de ser.

Basta ligeira observação para encontrá-la a cada passo:

- é o diretor que tem a sua proposição refugada e se sente desprestigiado, não mais comparecendo às assembleias;
- o médium advertido construtivamente pelo condutor da sessão quanto à própria educação mediúnica e que se ressente, fugindo às reuniões;
- o comentarista admoestado fraternalmente para abaixar o volume da voz e que se amua na inutilidade;
- o colaborador do jornal que vê o artigo recusado pela redação e que se supõe menosprezado, encerrando atividades na imprensa;
- a cooperadora da assistência social esquecida na passagem de seu aniversário se mostra ferida, caindo na indiferença;
- o servidor do templo que foi, certa vez, preterido na composição da mesa orientadora da ação espiritual e se desgosta por sentir-se infantilmente injuriado;
- o doador de alguns donativos cujo nome foi omitido nas citações de agradecimento e surge magoado, esquivando-se a nova cooperação;
- o pai relembrado pela professora das aulas de moral cristã, com respeito ao comportamento do filho, e que, por isso, se suscetibiliza, cortando o comparecimento da criança;
- o jovem aconselhado pelo irmão amadurecido e que se descontenta, rebelando-se contra o aviso da experiência;
- a pessoa que se sente desatendida ao procurar o companheiro de cuja cooperação necessita nos horários em que esse mesmo companheiro, por sua vez, necessita trabalhar a fim de prover a própria subsistência;
- o amigo que não se viu satisfeito ante a conduta do colega na instituição e deserta, revoltado, englobando todos os demais em franca reprovação, incapaz de reconhecer que essa é a hora de auxílio mais amplo.

O espírita que se nega ao concurso fraterno somente prejudica a si mesmo.

Devemos perdoar e esquecer se quisermos colaborar e servir.

A rigor, sob as bênçãos da Doutrina Espírita, quem pode dizer que ajuda alguém? Somos sempre auxiliados.

Ninguém vai a um templo doutrinário para dar, primeiramente. Todos nós aí comparecemos para receber, antes de tudo, sejam quais forem as circunstâncias.

Fujamos à condição de sensitivas humanas, convictos de que a honra reside na tranquilidade da consciência, sustentada pelo dever cumprido.

Com a humildade não há o melindre que piora aquele que o sente sem melhorar a ninguém.

Cabe-nos ouvir a consciência e segui-la, recordando que a suscetibilidade de alguém sempre surgirá no caminho, alguém que precisa de nossas preces, conquanto curtas ou aparentemente desnecessárias.

E para terminar, meu irmão, imagine se um dia Jesus se melindrasse com os nossos incessantes desacertos...

CAIRBAR SCHUTEL

# 37
# Tranquilidade

*Cap. XXV — Item 9*

1 – Comece o dia na luz da oração.
O amor de Deus nunca falha.
2 – Aceite qualquer dificuldade sem discutir.
Hoje é o tempo de fazer o melhor.
3 – Trabalhe com alegria.
O preguiçoso, mesmo quando se mostra num pedestal de ouro maciço, é um cadáver que pensa.
4 – Faça o bem quanto possa.
Cada criatura transita entre as próprias criações.
5 – Valorize os minutos.
Tudo volta, com exceção da hora perdida.
6 – Aprenda a obedecer no culto das próprias obrigações.
Se você não acredita na disciplina, observe um carro sem freio.

7 – Estime a simplicidade.

O luxo é o mausoléu dos que se avizinham da morte.

8 – Perdoe sem condições.

Irritar-se é o melhor processo de perder.

9 – Use a gentileza, mas, de modo especial, dentro da própria casa.

Experimente atender aos familiares como você trata as visitas.

10 – Em favor de sua paz, conserve fidelidade a si mesmo.

Lembre-se de que, no dia do Calvário, a massa aplaudia a causa triunfante dos crucificadores, mas o Cristo, solitário e vencido, era a causa de Deus.

André Luiz

# 38
# A paixão de Jesus

*Cap. XIX — Item 7*

O Espiritismo não nos abre o caminho da deserção do mundo.

Se é justo evitar os abusos do século, não podemos chegar ao exagero de querer viver fora dele. Usufruamos a vida que Deus nos dá, respirando o ar das demais criaturas, nossas irmãs.

Para seguir a própria consciência, podemos dispensar a virtude intocável que forja a santidade ilusória.

Não sejamos sombras vivas, nem transformemos nossos lares em túmulos enfeitados por filigranas de adoração.

Nossa fé não é campo fechado à espontaneidade.

Encarnados e desencarnados precisamos ser prudentes, mas isso não significa que devamos reprimir expansões sadias e não nos abracemos uns aos outros. A abstinência do mal não impõe restrições ao bem.

Assim como a virtude jactanciosa é defeito tanto quanto qualquer outro, a austeridade afetada é ilusão semelhante às demais.

Não façamos da vida particular uma torre de marfim para encastelar os princípios superiores, ou estrado de exibição para entronizar o ponto de vista.

A convicção espírita não é insensível ou impertinente.

A inflexibilidade, no dever, não exige frieza de coração. Fujamos ao proselitismo fanatizante, mas nem por isso cultivemos nos outros a aversão por nossa fé.

Se o papel de vítima é sempre o melhor e o mais confortável, nem por isso, a título de representá-lo, podemos forçar a nossa existência, transformando em verdugos, à força, as criaturas que nos rodeiam.

Não sejamos policiais do Evangelho, mas candidatemo-nos a servidores cristãos.

Nem caridade vaidosa que, agrave a aspereza do próximo, nem secura de coração, que estiole a alegria de viver.

Quem transpira gelo, dentro em breve, caminhará em atmosfera glacial.

A crença aferrolhada no orgulho desencadeia desastres tão grandes quanto aqueles criados pelo materialismo.

Não sejamos companhias entediantes.

Um sorriso de bondade não compromete ninguém.

A fé espírita reside no justo meio-termo do bem e da virtude.

Nem o silêncio perpétuo da meia morte, que destrói a naturalidade, nem a fala medrosa da inibição a beirar o ridículo.

Nem olhos baixos de santidade artificiosa, nem anseio inexperiente de se impor a todo preço.

Nem cumplicidade no erro na forma de vício; nem conivência com o mal na forma de aparente elevação.

Fé espírita é libertação espiritual. Não ensina a reserva calculada que anula a comunicabilidade, constrangendo os outros, nem recomenda a rigidez de hábitos que esteriliza a vida simples. Nem tristeza sistemática, nem entusiasmo pueril.

Abstenhamo-nos da falsa ideia religiosa suscetível de repetir os desvios de existências anteriores nas quais vivemos em misticismo acabrunhante. Desfaçamos os tabus da superioridade mentirosa na certeza de que existe igualmente o orgulho de parecer humilde.

O Espiritismo nos oferece a verdadeira confiança, raciocinada e renovadora; eis por que o espírita não está condenado à atividade inexpressiva ou vegetante. Caridade é dinamismo do amor. Evangelho é alegria. Não é sistema de restringir as ideias ou tolher as manifestações, é vacinação contra o convencionalismo absorvente.

Busquemos o povo — a verdadeira paixão de Jesus —, convivendo com ele, sentindo-lhe as dores e servindo-o sem intenções secundárias, conforme o "amai-vos uns aos outros" — a senda maior de nossa emancipação.

EWERTON QUADROS

# 39
# Perigo

*Cap. IX — Item 1*

Cada vez que a irritação te assoma aos escaninhos da mente, segues renteando sinal de perigo.

Mesmo que tudo pareça conspirar em teu prejuízo, não convertas a emoção em bomba de cólera a explodir-te na boca.

Desequilíbrio que anotes é apelo da vida a que lhe prestes cooperação.

Quando as águas, em monte, investem furiosas sobre a faixa de solo que te serve de habitação, levantas o dique capaz de governar-lhe os impulsos.

Diante do fogo que te ameaça, recorres, de pronto, aos extintores de incêndio.

Toda vez que o curto-circuito reponta na rede elétrica, desligas a tomada de força para que a energia descontrolada não opere a destruição.

Assim também, quando a prova te visite, não transfigures a língua em chicote dos semelhantes.

Se agressões verbais te espancam os ouvidos, ergue a muralha do dever fielmente executado em que te defendas contra o assalto da injúria.

Se a calúnia te alanceia, guarda-te em paz no refúgio da prece.

Se a dignidade ofendida dentro de ti surge transformada em aceso estopim para a deflagração da revolta, deixa que o silêncio te emudeça até que a nuvem da crise te abandone a visão.

Sobretudo à frente de qualquer companheiro encolerizado, não lhe agraves a distonia.

Ninguém cura um louco, zurzindo-lhe o crânio.

Se alguém te lança em rosto o golpe da intemperança de espírito ou se te arroja a pedrada do insulto, desculpa irrestritamente e, se volta a ferir-te, é indispensável que te reconheças na presença de um enfermo em estado grave a pedir-te o amparo do entendimento e o socorro da compaixão.

EMMANUEL

# 40
# Jesus e você

*Cap. VI — Item 6*

Nosso Mestre não se serviu de condições excepcionais no mundo para exaltar a luz da verdade e a bênção do Amor.

Em razão disso, não aguarde renovação exterior na vida diária para ajudar. Comece imediatamente a própria sublimação.

Jesus não tinha uma pedra onde recostar a cabeça. Se você dispõe de mínimo recurso, já possui mais que ele.

Jesus, em seu tempo, não desfrutou de qualquer expressão social. Se você detém algum estudo ou título, está em situação privilegiada.

Jesus esperou até os 30 anos para servir mais decisivamente. Se você é jovem e pode ser útil, usufrui magnífica oportunidade.

Jesus partiu aos 33 anos. Se você vive na idade amadurecida e dispõe do ensejo de auxiliar, agradeça ao Alto, dando mais de si mesmo.

Jesus não contou com os familiares nas tarefas a que se propôs. Se você convive em paz no recinto doméstico, obtendo alguma cooperação em favor dos outros, bendiga sempre essa dádiva inestimável.

Jesus não encontrou ninguém que o amparasse na hora difícil. Se você recebe o apoio de alguém nos momentos críticos, saiba ser grato.

Jesus nada pôde escrever. Se você consegue grafar pensamentos na expansão do bem, colabore sem tardança para a felicidade de todos.

Vemos, assim, que a vida real nasce e evolui no Espírito eterno e não depende de aparências para projetar-se no rumo da perfeição.

Jesus segue à frente de nós. Se você deseja acertar, basta segui-lo.

Sigamo-lo, pois.

ANDRÉ LUIZ

# 41
# A tomada elétrica

*Cap. VIII — Item 7*

De volta à reencarnação, em breve tempo, sou trazido ao vosso recinto de oração e fraternidade por benfeitores e amigos para que algo vos fale de minha história — amargo escarmento aos levianos do ouvido e aos imprudentes da língua.

Sem ornato verbal de qualquer natureza, em minha confissão dolorosa, passo diretamente ao meu caso triste, à maneira de um louco que retorna ao juízo depois de haver naufragado na vileza de um pântano.

Há alguns anos, em minha derradeira romagem na Terra, era eu simples comerciário de hábitos simples.

Com pouco mais de 30 anos, desposei Marina, muito mais jovem que eu, e, exaltando a nossa felicidade, construímos nosso paraíso doméstico numa casa pequena de movimentado bairro do Rio.

Nossa vida modesta era um cântico de ventura, entretecido de esperanças e preces; todavia, porque fosse, de ordinário, desconfiado e inquieto, amava minha esposa com doentia paixão.

Marina era muito moça, quase menina...

Estimava as cores festivas, o cinema, a vida social, a gargalhada franca e, por guardar temperamento infantil, a curto espaço teve o nome enliçado à maledicência que fustiga a felicidade, como a sombra persegue a luz.

Em torno de nós, fez-se o *disse me disse*.

Se tomávamos um bonde, éramos logo objeto de olhares assustadiços, enquanto se cochichava, lembrando-se-nos o nome...

Se passávamos numa praça, éramos, quase sempre, seguidos de assovios discretos...

Começaram para mim os recados escusos, os telefonemas inesperados, as cartas anônimas e os conselhos de família, reunindo várias acusações.

"Marina desertara dos compromissos do lar".

"Marina era ingrata e infiel".

"Marina respirava numa poça de lama".

"Marina tornara-se irregular".

Muita vez, minha própria mãe, zelosa de nosso nome, chamava-me a brios, indicando-me providências.

Amigos segredavam-me anedotas irreverentes com sentido indireto.

Lutas enormes do sentimento ditavam-me desesperados conflitos.

Acabou-se em casa a alegria espontânea.

Debalde, a companheira se inocentava, alertando-me o coração; entretanto, densas trevas possuíam-me o raciocínio, induzindo-me a criar assombrosos quadros em torno de faltas inexistentes.

Como se eu fora puro, exigia pureza em minha mulher. Qual se fosse santo, reclamava-lhe santidade.

Deplorável cegueira humana!

Foi assim que, numa tarde inesquecível para o remorso que me vergasta, tilintou o telefone, buscando-me para aviso.

Três horas da tarde...

Anuncia-me alguém ao cérebro atormentado que um estranho se achava em meu aposento íntimo.

Desvairado, tomei de um revólver e busquei minha casa.

Sem barulho, penetrei nossa câmara e, de olhos embaciados no desespero, vi Marina curvada ao lado de um homem que se curvava igualmente a dois passos de nosso leito.

Não tive dúvida e alvejei-os, agoniado... Vi-lhes o sangue a misturar-se, enquanto me deitavam olhares de imensa angústia, e, porque não pudesse eu mesmo resistir a tamanha desdita, estilhacei meu crânio com bala certa, caindo, logo após, para acordar no túmulo, agarrado a meu corpo, mazelento e fedentinoso, que servia de engorda a vermes famintos.

Em vão, busquei desvencilhar-me do arcabouço de lama a emparedar-me na sombra.

Gargalhadas irônicas de Espíritos infelizes cercavam-me a prisão.

Descrever minha pena é tarefa impossível no vocabulário dos homens, porque o verbo dos homens não tem bastante força para pintar o inferno que brame dentro da alma.

Por muito tempo, amarguei meu cálice de aflição e pavor, até que mãos amigas me afastaram, por fim, do cárcere de lodo.

Vim, então, a saber que Marina, sem culpa, fora sacrificada em minhas mãos de louco.

Esposa abnegada e inocente que era, simplesmente pedira a um companheiro da vizinhança consertasse, em nosso quarto humilde, a tomada elétrica desajustada, a fim de passar a roupa que me era precisa para o dia seguinte.

Transido de vergonha e enojado de mim, antes de suplicar perdão às minhas pobres vítimas, implorei, humilhado, a prova que me espera...

E é assim que, falando às almas descuidadas que cultivam na Terra o vício da calúnia, venho dizer a todas, na condição de um réu, que, para me curar da própria insensatez, roguei ao Pai Celeste e me foi concedida a bênção de meio século de doença e martírio, luta e flagelação na dor de um corpo cego.

JÚLIO

# 42
# Marcos indeléveis

> Cap. XVIII — Item 16
> As obras que eu faço, em nome
> de meu Pai, essas
> testificam de mim. — Jesus
> (João, 10:25.)

Cada trecho do solo demonstra o seu valor na riqueza ou na fertilidade que apresenta...

Cada vegetal é tido na importância de seu cerne, de sua essência, de seus frutos...

Cada animal é conhecido pelas peculiaridades de importância em sua existência...

O Sol constitui para todos os seres fonte inexaurível de vida, calor e luz.

A água significa o sangue do organismo terrestre.

O fogo, no crepitar da lareira ou na devastação do incêndio, demonstra realmente o seu papel inconfundível no campo imenso da Criação.

O juiz é respeitado pela integridade de seus sentimentos ou temido pelas manifestações de venalidade a que se acolhe.

O professor é acatado, consoante o grau de competência que lhe é próprio.

O médico adquire confiança, conforme a sua atitude ao pé dos enfermos.

O coração materno revela a sua íntima excelsitude no trato natural com os rebentos de seu carinho.

O filho oferece ao mundo, na experiência diária, a extensão de seu amor para com os próprios pais.

A criança, em suas expressões infantis, apresenta invariavelmente o esboço de caráter que plasmou em si mesma em vidas passadas.

O usurário cria, em torno de si, gelada atmosfera de reprovação pelos sentimentos que nutre no imo do próprio ser.

O leviano carrega consigo constantemente os prejuízos da ociosidade ou do vício, complicando-se na intemperança dos próprios dias.

O cético representa, onde estiver, a aridez da mente hipertrofiada pelo orgulho infeliz.

O crente, leal a si mesmo, evidencia o poder de sua fé nas posições assumidas perante os chamamentos do mundo.

Enfim, todas as criações do excelso Pai testemunham-lhe a glória no campo infinito da vida, e cada Espírito se afirma bem ou mal, aproveitando-as para subir à Luz ou delas abusando para descer às trevas.

Como aprendizes do Evangelho, portanto, cumpre-nos indagar à própria consciência:

— Que tenho executado na vida como aplicação das bênçãos de Deus?

Não nos esqueçamos, segundo a lição do Senhor, de que somente as obras que fizermos em nome do Pai é que serão marcos indeléveis de nosso caminho a testificarem de nós.

EMMANUEL

# 43
# Crítica

*Cap. XII — Item 2*

Se você está na hora de criticar alguém, pense um pouco antes de iniciar.

Se o parente está em erro, lembre-se de que você vive junto dele para ajudar.

Se o irmão revela procedimento lamentável, recorde que há moléstias ocultas que podem atingir você mesmo.

Se um companheiro faliu, é chegado o momento de substituí-lo em trabalho até que volte.

Se o amigo está desorientado, medite nas tramas da obsessão.

Se o homem da atividade pública parece fora do eixo, o desequilíbrio é problema dele.

Se há desastres morais nos vizinhos, isso é motivo para auxílio fraterno, porquanto esses mesmos desastres provavelmente chegarão até nós.

Se o próximo caiu em falta, não é preciso que alguém lhe agrave as dores de consciência.

Se uma pessoa entrou em desespero, no colapso das próprias energias, o azedume não adianta.

Ainda que você esteja diante daqueles que se mostram plenamente mergulhados na loucura ou na delinquência, fale no bem e fuja da crítica destrutiva, porque a sua reprovação não fará o serviço dos médicos e dos juízes indicados para socorrê-los e, mesmo que a sua opinião seja austera e condenatória, nisso ou naquilo, você não pode olvidar que a opinião de Deus, Pai de nós todos, pode ser diferente.

André Luiz

# 44
# Deus em nós

*Cap. XXV — Item 1*
*E Deus pelas mãos de Paulo fazia*
*maravilhas extraordinárias.*
(ATOS, 19:11.)

Quem pode delimitar a extensão das bênçãos que dimanam da Altura?

Por ser sempre de origem inferior, o mal é limitado como todas as manifestações devidas exclusivamente às criaturas; o bem, no entanto, tem caráter divino e, semelhante aos atributos do Pai Excelso, traz em si a qualidade de ser infinito em qualquer direção.

Antes de tudo, vigora a intenção sincera do Espírito no ato que procura executar.

Assim, utiliza as próprias possibilidades a serviço da vontade divina, oferecendo o coração às realizações com Jesus, e o ilimitado surgir-te-á gradativamente nas faixas da experiência sob a forma de esperança e consolação, júbilo e paz.

Por mais sombrios te pareçam aos ideais de hoje os dias do passado, não te entregues ao desânimo.

Ergue os sentimentos e conjuga as próprias ações ao novo roteiro entrevisto.

Após a purificação necessária, a água mais poluída da sarjeta se torna límpida e cristalina como se jamais houvesse experimentado o convívio da impureza.

O presente é perene traço de união entre os resquícios do pretérito e uma vida futura melhor.

Plasma em ti mesmo as forças reconstrutivas de tuas novas resoluções, para que se exprimam em obras de aprimoramento e de amor.

Reconhecendo a nossa origem na Fonte de Todas as Perfeições, é natural que podemos e precisamos realizar em torno de nós as obras perfeitas a que estamos destinados por nossa própria natureza.

Eis o valor do registro dos *Atos dos apóstolos* ao recordar-nos a magnitude das tarefas de Paulo, quando o Iniciado de Damasco se dispôs a caminhar, auxiliando e aprendendo, no holocausto das próprias energias à exaltação do bem.

As mãos, tanto quanto o conjunto de instrumentos e possibilidades de que nos servimos na vida comum, esperam passivamente o ensejo de se aplicarem aos desígnios superiores segundo as nossas deliberações pessoais.

Quando agimos no bem, sentimos a presença de Deus em nós.

Medita no emprego dos teus recursos no campo da fraternidade.

Desterra de teu caminho a barreira do desalento e prossegue confiante vanguarda afora.

O solo frutifica sempre quando ajudado pelo cultivador.

Usa, pois, o arado com que o Senhor te enriquece as mãos, trabalhando a leira que te cabe, com firmeza e esperança, na certeza de que a colheita farta coroar-te-á os esforços, cada vez mais, desde que permaneças apoiado no propósito seguro de corresponder ao programa de trabalho que o Pai te reserva, na oficina da luz, em busca da alegria inalterável.

EMMANUEL

# 45
# Cólera

*Cap. IX — Item 10*

A cólera apresenta dez negativas complexas que induzem a melhor das criaturas à pior das frustrações.

1 – Não resolve.
Agrava.
2 – Não resgata.
Complica.
3 – Não ilumina.
Escurece.
4 – Não reúne.
Separa.
5 – Não ajuda.
Prejudica.
6 – Não equilibra.
Desajusta.

7 – Não reconforta.
Envenena.
8 – Não favorece.
Dificulta.
9 – Não abençoa.
Maldiz.
10 – Não edifica.
Destrói.

Evite a cólera como quem foge ao contato destruidor de alta tensão.

Mas, se você amanhece de mau humor, antes que o flagelo se instale de todo na sua cabeça e na sua voz, comece o dia rogando à Divina Bondade o socorro providencial de uma laringite.

ANDRÉ LUIZ

# 46
# Vigília maternal

*Cap. IV — Item 18*

Sorves, em lágrimas silenciosas, o cálice da amargura ante o filho desobediente e notas no coração que o amor e a dor palpitam juntos em paroxismos e profundezas.

Desencantada com as leves nódoas de indignidade que lhe entrevistes no caráter, reparas, chorando, que ele não é mais a aparição celeste dos primeiros dias e, ao ponderar-lhe a falência iniciante, temes a liberdade que o tempo lhe concederá na construção do destino.

Pretextando querê-lo, não te rendas à feição de praça vencida... Conquanto carregues o espinho da angústia engastado na alma, é preciso velar no posto de sentinela.

Não deformes o sentimento que te pulsa no peito.

Fortalece a própria vontade, governando-lhe os impulsos.

Ceder sempre, no fundo, é menosprezar.

Sê previdente, aparando-lhe os caprichos.

Acende a luz da prece e medita nas dores excruciantes que alcançaram também a doce mãe de Jesus e ergue a voz no corretivo às irreflexões e aos anseios imoderados que o visitam se queres fazer dele um homem.

Dosa o sal da energia e o mel da brandura nos condimentos da educação.

Nem liberdade desordenada, nem apego excessivo.

Se teu filho é tua cruz, lembra-te de que, na Terra, não há nascimento de santos. Almas em luta consigo mesmas, é compreensível que vivamos todos nós, não raro, em luta uns com os outros nos passos ziguezagueantes da experiência.

Sê operosa e humilde, sem ser escrava.

Não cultives desgostos.

Sê fiel à esperança.

Não fites ingratidões, nem coleciones queixumes.

A missão divina da maternidade apoia-se na força onipotente do amor.

Envolve teu filho na palavra de bênção que vence o orgulho e na luz do exemplo que dissipa as sombras da rebeldia.

Faze que se lhe desenvolvam os sentimentos bons do coração que o musgo dos séculos recobriu e ocultou.

Não te faças borboleta do sonho, quando a vida te pede vigílias de guardiã.

No rio da existência humana, os espíritas são as gotas d'água que se transformam em lâminas de arremesso contra as pedras dos obstáculos, talhando caminhos novos.

O Espiritismo gera consciências livres. Prova a teu filho semelhante verdade pelas próprias ações de renúncia e discernimento, conjugando o bálsamo do carinho com a rédea da autoridade.

Não queiras transformá-lo, à força, em escolhido dentre aqueles chamados pelo Senhor.

Filhos do Eterno, todos somos cidadãos da eternidade e somente elevamos a nós mesmos, a golpes de esforço e trabalho, na hierarquia das reencarnações.

Assim, pois, embora muita vez torturada na abnegação incompreendida, mostra a teu filho que a Lei Divina é insubornável e que todo Espírito é responsável por si próprio.

ANÁLIA FRANCO

# 47
# Perdoa, sim!?

*Cap. X — Item 15*

O desconhecido passou, de carro, enlameando-te a veste, como se toda a rua lhe pertencesse... Compadece-te dele. Corre, desabalado à procura de alguém que lhe socorra o filhinho nos esgares da morte.

Linda mulher, que pérolas e brilhantes enfeitam, segue a teu lado, parecendo fingir que te não percebe a presença... Compadece-te! Ela tem os olhos embaciados de pranto e não chegou a ver-te.

Jovem admiravelmente bem-posto cruzou contigo, endereçando-te palavra de sarcasmo e de injúria... Compadece-te! Ele tem os passos no caminho do hospício e ainda não sabe.

O amigo que mais amas negou-te um favor... Compadece-te dele! Não lhe vês a dificuldade encravada no coração.

Companheiros do mundo!... Estarão contigo, notadamente no lar, onde guardam os nomes de pai e mãe, esposo e esposa, filhos e irmãos... Muita vez, levantam-se de manhã, chorosos e doloridos, aguardando um sorriso de entendimento, ou chegam do trabalho, fatigados e tristes, esmolando compreensão.

Todos trazem consigo aflições e problemas que desconheces.

Ergue a própria alma e auxilia sempre!... Indulgência para todos! Bondade para com todos!...

E, se algum deles te fere diretamente a carne ou a alma, não levantes o braço ou a voz para revidar.

Busca no silêncio a inspiração do Senhor, e o Mestre, como se estivesse descendo da cruz em que pediu perdão para os próprios verdugos, te dirá compassivo:

— Perdoa, sim! Perdoa sempre, porque, em verdade, aqueles que não perdoam também não sabem o que fazem...

MEIMEI

# 48
# Renascer e remorrer

*Cap. V — Item 12*

Usufruímos na Espiritualidade o continente sem limites de onde viemos; no universo físico, o mar sem praias em que navegamos de quando em quando, e, na vida eterna, o abismo sem fundo em que desfrutamos as magnificências divinas.

No trajeto multimilenário de nossas experiências, aprendemos, entre sucessivos transes de nascimento e desencarnação, a alegria de viver, descobrindo e reconhecendo a necessidade e a compensação do sofrimento, sempre forjado por nossas próprias faltas.

Já renascemos e remorremos milhões de vezes, contraindo e saldando obrigações, assinalando a excelsitude da Providência e o valor inapreciável da humildade, para saber, enfim, que toda revolta humana é absurda e impotente.

Se as lutas do burilamento moral não têm unidade de medida, a ação do amor é infinita na solução de todos os problemas e na medicação de todas as dores.

Tolera com paciência as inevitáveis, mas breves, provas de agora, para que te rejubiles depois.

Nos compromissos espirituais, todos encontramos solvibilidade por meio do esforço próprio. Aproveitemos a bênção da dor na amortização dos débitos seculares que nos ferreteiam as almas, perseverando resignadamente no posto de sentinelas do bem, até que o Senhor mande render-nos com a transformação pela morte.

Sempre trazemos dívidas de lágrimas uns para com os outros. Vive, assim, em paz com todos, principalmente junto aos irmãos com os quais a tua vida se entrecomunica a cada instante, legando, por testamento e fortuna, atos de amor e exemplos de fé no fortalecimento dos Espíritos de amigos e descendentes.

Se há facilidade para remorrer, há dificuldades para renascer. As portas dos cemitérios jamais se fecham; contudo, as portas da reencarnação só se abrem com a senha do mérito haurido nas edificações incessantes da caridade.

As dores iguais criam os ideais semelhantes. Auxiliemo-nos mutuamente.

O Evangelho — o livro-luz da evolução — é o nosso apoio. Busquemos a Jesus, lembrando-nos de que o lamento maior, o desesperado clamor dos clamores, que poderia ter partido de seus lábios, na potência de mil ecos dolorosos, jamais chegou a existir...

Lins de Vasconcellos

# 49
# Na viagem da vida

*Cap. IX — Item 4*

Evitas a compra do fruto deteriorado, defendendo a saúde.
Varres o lixo doméstico, purificando o ambiente.
Lavas a roupa suja, garantindo a limpeza.
Usas o remédio preciso, conjurando a enfermidade.
Livra-te também das palavras que desçam da informação à maledicência, preservando o equilíbrio.

\* \* \*

Bloqueias o fogo.
Diriges a força elétrica.
Isolas o veneno.
Governas a explosão.

Controla igualmente as palavras suscetíveis de converter a energia em crueldade, resguardando a segurança.

\* \* \*

Verbo deprimente gera a viciação.
Verbo desvairado cria a loucura.

\* \* \*

A existência terrestre pode ser comparada a laboriosa viagem.
O corpo é a embarcação.
O pensamento é a força.
A língua é o leme.

EMMANUEL

# 50
# Maternidade

*Cap. XIV — Item 1*

Vemos em cada manifestação da vida determinada meta de desenvolvimento qual anseio do próprio Deus a concretizar-se.

Na Criação, o clímax da grandeza.
Na caridade, o vértice da virtude.
Na paz, a culminância da luta.
No êxito, a exaltação do ideal.
Nos filhos, a essência do amor.
No lar, a glória da união.
De igual modo, a maternidade é a plenitude do coração feminino que norteia o progresso.
Concepção, gravidez, parto e devoção afetiva representam estações difíceis e belas de um ministério sempre divino.

Láurea celeste na mulher de todas as condições, define o inderrogável recurso à existência humana, reclamando paciência e carinho, renúncia e entendimento.

Maternidade esperada.
Maternidade imprevista.
Maternidade aceita.
Maternidade hostilizada.
Maternidade socorrida.
Maternidade desamparada.

Misto de júbilo e sofrimento, missão e prova, maternidade, em qualquer parte, traduz intercâmbio de amor incomensurável, em que desponta, sublime e sempre novo, o ensejo de burilamento das almas na ascensão dos destinos.

Principais responsáveis por semelhante concessão da Bondade infinita, as mães guardam as chaves de controle do mundo.

Mães de sábios...
Mães de idiotas...
Mães felizes...
Mães desditosas...
Mães jovens...
Mães experientes...
Mães sadias...
Mães enfermas...

Ao filtro do amor que lhes verte do seio, deve o plano terrestre o despovoamento dos círculos inferiores da vida espiritual, para que o Reino de Deus se erga entre as criaturas.

Mães da Terra! Mães anônimas!

Sois vasos eleitos para a luz da reencarnação!

Por maiores se façam os suplícios impostos à vossa frente, não recuseis vosso augusto dever, nem susteis o hálito do filhinho nascente — esperança do Céu a repontar-vos do peito!...

O Espírito da Verdade

Não surge o berço de vosso coração por acaso.

Mantende-vos, assim, vigilantes e abnegadas, na certeza de que, se muitas vezes cipoais e espinheiros são vossa herança transitória entre os homens, todas vós sereis amparadas e sustentadas pela bênção do Amor Eterno, sempre que marchardes fiéis à Excelsa Paternidade da Providência Divina.

ANDRÉ LUIZ

# 51
# Ternura

*Cap. XIV — Item 3*

Mãezinha querida.
Lembro-me de ti, quando acordei para recordar.
Debruçada ao meu berço, cantavas baixinho e derramavas no meu rosto pequeninas gotas de luz que, mais tarde, vim a saber serem lágrimas.
Conchegaste-me no colo, como se me transportasses a brando ninho e, desde então, nunca mais me deixaste.
Quando os outros iam à festa, velavas comigo, ensinando-me a pronunciar o bendito nome de Deus... Noutras ocasiões, trabalhavas de agulha aos dedos, contando histórias de bondade e alegria para que eu dormisse sonhando...
Se eu fugia, quebrando o pente, ou se voltava da escola com a roupa em frangalhos, enquanto muita gente falava em

castigo, afagavas minhas mãos entre as tuas ou beijavas os meus cabelos em desalinho.

Depois cresci, vendo-te ao meu lado, à feição de um anjo entre quatro paredes... Cresci para o mundo, mas nunca deixei de ser, em teus braços, a criança pela qual entregaste a vida.

E, até agora, dia a dia, esperas, paciente e doce, o momento em que me volto para teus olhos, sorrindo para mim e abençoando-me sempre, ainda mesmo quando os meus problemas te retalhem o peito por lâminas de aflição!...

Hoje, ouvi a música dos milhões de vozes que te engrandecem...

Quis apanhar as constelações do Céu e misturá-las ao perfume das flores que desabrocham no chão, para tecer-te uma coroa de reconhecimento e carinho, mas, como não pudesse, venho trazer-te as pétalas de amor que colhi em minh'alma.

Recebe-as, mãezinha!... Não são pérolas, nem brilhantes da Terra... São as lágrimas de ternura que Deus me deu para que te oferte o meu próprio coração, transformado num poema de estrelas.

Meimei

# 52
# Há um século

*Cap. XXV — Item 2*

**I**

Allan Kardec, o Codificador da Doutrina Espírita, naquela triste manhã de abril de 1860, estava exausto, acabrunhado. Fazia frio.

Apesar da consolidação da Sociedade Espírita de Paris e da promissora venda de livros, escasseava o dinheiro para a obra gigantesca que os Espíritos Superiores lhe haviam colocado nas mãos.

A pressão aumentava... Missivas sarcásticas avolumavam-se à mesa. Quando mais desalentado se mostrava, chega a paciente esposa, Madame Rivail — a doce Gaby —, a entregar-lhe certa encomenda, cuidadosamente apresentada.

## II

O professor abriu o embrulho, encontrando uma carta singela. E leu:

Sr. Allan Kardec:

Respeitoso abraço.

Com a minha gratidão, remeto-lhe o livro anexo, bem como a sua história, rogando-lhe, antes de tudo, prosseguir em suas tarefas de esclarecimento da Humanidade, pois tenho fortes razões para isso.

Sou encadernador desde a meninice, trabalhando em grande casa desta capital.

Há cerca de dois anos, casei-me com aquela que se revelou minha companheira ideal. Nossa vida corria normalmente e tudo era alegria e esperança, quando, no início deste ano, de modo inesperado, minha Antoinette partiu desta vida, levada por sorrateira moléstia.

Meu desespero foi indescritível e julguei-me condenado ao desamparo extremo.

Sem confiança em Deus, sentindo as necessidades do homem do mundo e vivendo com as dúvidas aflitivas de nosso século, resolvera seguir o caminho de tantos outros, ante a fatalidade...

A prova da separação vencera-me, e eu não passava, agora, de trapo humano.

Faltava ao trabalho, e meu chefe, reto e ríspido, ameaçava-me com a dispensa.

Minhas forças fugiam.

Namorara diversas vezes o Sena e acabei planeando o suicídio. "Seria fácil, não sei nadar", pensava.

Sucediam-se noites de insônia e dias de angústia.

Em madrugada fria, quando as preocupações e o

desânimo me dominaram mais fortemente, busquei a Ponte Marie.

Olhei em torno, contemplando a corrente... E, ao fixar a mão direita para atirar-me, toquei um objeto algo molhado que se deslocou da amurada, caindo-me aos pés. Surpreendido, distingui um livro que o orvalho umedecera.

Tomei o volume nas mãos e, procurando a luz mortiça de poste vizinho, pude ler, logo no frontispício, entre irritado e curioso:

"Esta obra salvou-me a vida. Leia-a com atenção e tenha bom proveito. — A. Laurent".

Estupefato, li a obra — *O livro dos espíritos* — ao qual acrescentei breve mensagem, volume que passo às suas mãos abnegadas, autorizando o distinto amigo a fazer dele o que lhe aprouver.

Ainda constavam da mensagem agradecimentos finais, a assinatura, a data e o endereço do remetente.

O codificador desempacotou, então, um exemplar de *O livro dos espíritos* ricamente encadernado, em cuja capa viu as iniciais do seu pseudônimo e, na página do frontispício, levemente manchada, leu com emoção não somente a observação a que o missivista se referira, mas também outra, em letra firme: "Salvou-me também. Deus abençoe as almas que cooperaram em sua publicação. – Joseph Perrier".

### III

Após a leitura da carta providencial, o professor Rivail experimentou nova luz a banhá-lo por dentro...

Conchegando o livro ao peito, raciocinava, não mais em termos de desânimo ou sofrimento, mas sim na pauta de radiosa esperança.

Era preciso continuar, desculpar as injúrias, abraçar o sacrifício e desconhecer as pedradas...

Diante de seu Espírito, turbilhonava o mundo necessitado de renovação e consolo.

Allan Kardec levantou-se da velha poltrona, abriu a janela à sua frente, contemplando a via pública, onde passavam operários e mulheres do povo, crianças e velhinhos...

O notável obreiro da Grande Revelação respirou a longos haustos e, antes de retomar a caneta para o serviço costumeiro, levou o lenço aos olhos e limpou uma lágrima...

Hilário Silva

# 53
# Cura espiritual

*Cap. XXVI — Item 1*

Comece orando.
A prece é luz na sombra em que a doença se instala.

* * *

Semeie alegria.
A esperança é medicamento no coração.

* * *

Fuja da impaciência.
Toda irritação é desastre magnético de consequências imprevisíveis.

\* \* \*

Guarde confiança.
A dúvida deita raios de morte.

\* \* \*

Não critique.
A censura é choque nos agentes da afinidade.

\* \* \*

Conserve brandura.
A palavra agressiva prende o trabalho na estaca zero.

\* \* \*

Não se escandalize.
O corpo de quem sofre é objeto sagrado.

\* \* \*

Ajude espontaneamente para o bem.
Simpatia é cooperação.

\* \* \*

Não cultive desafetos.
Aversão é calamidade vibratória.

\* \* \*

Interprete o doente qual se fosse você mesmo.
Toda cura espiritual lança raízes sobre a força do amor.

ANDRÉ LUIZ

# 54
# Que buscais?

*Cap. XVIII — Item 10*
*— Que buscais? — Jesus*
(João, 1:38.)

Essa simples indagação do Senhor aos dois discípulos que o seguiam é dirigida presentemente a todos os lidadores do Espiritismo diante da Boa-Nova renascente no mundo.

Ao obreiro modesto da assistência fraternal, exprime a Voz Superior a reclamar-lhe os frutos na colheita do bem.

Ao colaborador da propaganda doutrinária, representa a interpelação incessante acerca da tarefa de resguardar a pureza dos postulados que consolam e instruem.

Ao orientador das assembleias de nossa fé, é a pergunta judiciosa quanto à qualidade do esforço no cumprimento dos deveres que lhe competem.

Ao servidor da evangelização infantil, surge a interrogação do Divino Mestre qual brado de alerta relativamente ao rumo escolhido para a sementeira de luz.

Ao portador da responsabilidade mediúnica, inquire Jesus pela aplicação dos talentos que lhe foram confiados.

Ao aprendiz incipiente da oficina espírita cristã constitui adequada sindicância quanto à sinceridade que traz consigo, alertando-o para os deveres justos.

A cada criatura que desperta em mais altos níveis da fé raciocinada, soa a interpelação do Senhor como sendo convite às obras em que se afirme a caridade real.

Assim, escuta no íntimo, em cada lance das próprias atividades, a austera palavra do Condutor Divino, convocando-te à coerência entre o ideal e o esforço, entre a promessa e a realização.

Analisa o que fazes. Observa o que dizes. Medita em torno de tuas aspirações mais ocultas. Que resposta forneces à indagação do Senhor?

Quem segue o Cristo, vive-lhe o apostolado.

Serve, coopera e caminha avante, sem temor ou vacilação, lembrando-te de que o Verbo da Verdade incide sobre nós, cada dia, perguntando incessantemente:

— Que buscais?

EMMANUEL

# 55
# Assim falou Jesus

*Cap. VI — Item 1*

Disse o Mestre: "buscai e achareis".
Mesmo nos Céus, você pode fixar a atenção na sombra da nuvem ou no brilho da estrela.

\* \* \*

Afirmou o Senhor: "cada árvore é conhecida pelos frutos".
Alimentar-se com laranja ou intoxicar-se com pimenta é problema seu.

\* \* \*

Proclamou o Cristo: "orai e vigiai para não entrardes em tentação, porque o Espírito, em verdade, está pronto, mas a carne é fraca".

O Espírito é o futuro e a vitória final, mas a carne é o nosso próprio passado, repleto de compromissos e tentações.

\* \* \*

Ensinou o Mentor Divino: "não condeneis e não sereis condenados".
Não critique o próximo, para que o próximo não critique você.

\* \* \*

Falou Jesus: "quem se proponha conservar a própria vida, perdê-la-á".
Quando o arado descansa, além do tempo justo, encontra a ferrugem que o desgasta.

\* \* \*

Disse o Mestre: "não vale para o homem ganhar o mundo inteiro, se perder sua alma".
A criatura faminta de posses e riquezas materiais, sem trabalho e sem proveito, assemelha-se, de algum modo, à pulga que desejasse reter um cão para si só.

\* \* \*

Afirmou o Senhor: "não é o que entra pela boca que contamina o Espírito".
A pessoa de juízo sadio come o razoável para rendimento da vida, mas os loucos ingerem substâncias desnecessárias para rendimento da morte.

O Espírito da Verdade

\* \* \*

Ensinou o Mentor Divino: "andai enquanto tendes luz".
O corpo é a máquina para a viagem do progresso e todo relaxamento corre por conta do maquinista.

\* \* \*

Proclamou o Cristo: "orai pelos que vos perseguem e caluniam".
Interessar-se pelo material dos caluniadores é o mesmo que se adornar você, deliberadamente, com uma lata de lixo.

\* \* \*

Falou Jesus: "a cada um será concedido segundo as próprias obras".
Não se preocupe com os outros, a não ser para ajudá-los; pois a Lei de Deus não conhece você pelo que você observa, mas simplesmente por aquilo que você faz.

ANDRÉ LUIZ

# 56
# Por amor à criança

*Cap. VIII — Item 18*

Nós que tantas vezes rogamos o socorro da Providência Divina, oremos ao coração da mulher, suplicando pelos filhinhos das outras! Peçamos às seareiras do bem pelas crianças desamparadas, flores humanas atingidas pela ventania do infortúnio nas promessas do alvorecer!...

Pelas crianças que foram enjeitadas nos becos de ninguém.

Pelas que vagueiam sem direção, amedrontadas nas trevas noturnas.

Pelas que sugam os próprios dedos, contemplando, por vidraças faustosas, a comida que sobeja desperdiçada.

Pelas que nunca viram a luz da escola.

Pelas que dormem, estremunhadas, na goela escura do esgoto.

Pelas que foram relegadas aos abrigos de lama e se transformam em cobaias de vermes destruidores.

Pelas que a tuberculose espia, assanhada, através dos molambos com que se cobrem.

Pelas que se afligem no tormento da fome e mentalizam o furto do pão.

Pelas que jamais ouviram uma voz que as abençoasse e se acreditam amaldiçoadas pelo destino.

Pelas que foram perfilhadas por falsa ternura e são mantidas nas casas nobres quais pequenas alimárias constantemente batidas pelas varas da injúria.

E por aquelas outras que caíram, desorientadas, nas armadilhas do crime e são entregues ao vício e à indiferença, entre os ferros e os castigos do cárcere!

Mães da Terra, enquanto vos regozijais no amor de vossos filhos, descerrai os braços para os órfãos de mãe!... Lembremos o apelo inolvidável do Cristo: "deixai vir a mim os pequeninos". E recordemos, sobretudo, que, se o homem deve edificar as paredes imponentes do mundo porvindouro, só a mulher poderá convertê-lo em alegria da vida e carinho do lar.

EMMANUEL

# 57
# Caridade e você

*Cap. XVI — Item 9*

Acredita você que só a caridade pode salvar o mundo; entretanto, não se demore na posição de comentarista.

Não nos diga que é pobre e incapaz de contribuir na campanha renovadora da sublime virtude.

Senão vejamos:

Se você destinar a quantia correspondente a um refrigerante ou um aperitivo em cada cinco doses, segundo os seus hábitos, aos serviços de qualquer hospital, no fim de um mês haverá mais decisiva medicação para certo doente.

Se você renunciar ao cinema de uma vez em cada cinco, endereçando o dinheiro respectivo a uma creche, ao término de duas ou três semanas, a instituição contará com mais leite em favor das crianças necessitadas.

Se você suprimir um maço de cigarros em cada cinco de seu uso particular, dedicando o fruto dessa renúncia a uma casa erguida para os irmãos distanciados do conforto doméstico, em breve tempo o agasalho devido a eles será mais rico.

Se você economizar as peças do vestuário, guardando a importância equivalente a uma delas em cada cinco para socorro ao próximo menos feliz, no fim de um ano disporá você mesmo de recursos suficientes para vestir alguém que a nudez ameaça.

Não espere pela bondade dos outros.

Lembre-se daquela que você mesmo pode fazer.

É possível que você nos responda que o supérfluo é seu próprio suor, que não nos cabe opinar em seu caminho e que o copo e o filme, o fumo e a moda são movimentados à sua custa.

Você naturalmente está certo na afirmativa e não seremos nós quem lhe contestará semelhante direito.

A vontade é sagrado atributo do Espírito, dádiva de Deus a nós outros para que decidamos, por nós, quanto à direção do próprio destino.

Todavia, nosso lembrete é apenas uma sugestão aos companheiros que acreditam na força da caridade e só ganhará realmente algum valor se houver algum laço entre a caridade e você.

André Luiz

# 58
# Seja voluntário

*Cap. XX — Item 4*

Seja voluntário na evangelização infantil.
Não aguarde convite para contribuir em favor da Boa-Nova no coração das crianças. Auxilie a plantação do futuro.
Seja voluntário no culto do Evangelho.
Não espere a participação de todos os companheiros do lar para iniciá-lo. Se preciso, faça-o sozinho.
Seja voluntário no templo espírita.
Não aguarde ser eleito diretor para cooperar. Colabore sem impor condições, em algum setor, hoje mesmo.
Seja voluntário no estudo edificante.
Não espere que os outros lhe chamem a atenção. Estude por conta própria.
Seja voluntário na mediunidade.

Não aguarde o desenvolvimento mediúnico, sistematicamente sentado à mesa de sessões. Procure a convivência dos Espíritos Superiores, amparando os infelizes.

Seja voluntário na assistência social.

Não espere que lhe venham puxar o paletó, rogando auxílio. Busque os irmãos necessitados e ajude como puder.

Seja voluntário na propaganda libertadora.

Não aguarde riqueza para divulgar os princípios da fé. Dissemine, desde já, livros e publicações doutrinárias.

Seja voluntário na imprensa espírita.

Não espere de braços cruzados a cobrança da assinatura. Envie o seu concurso, ainda que modesto, dentro das suas possibilidades.

\* \* \*

Sim, meu amigo. Não se sinta realizado.

Cultive espontaneidade nas tarefas do bem.

"A sementeira é grande e os trabalhadores são poucos".

Vivemos os tempos da renovação fundamental.

Atravessemos, portanto, em serviço, o limiar da era do Espírito!

Ressoam os clarins da convocação geral para as fileiras do Espiritismo.

Há mobilização de todos.

Cada qual pode servir a seu modo.

Aliste-se enquanto você se encontra válido.

Assuma iniciativa própria.

Apresente-se em alguma frente de atividade renovadora e sirva sem descansar.

Quase sempre, espírita sem serviço é alma a caminho de tenebrosos labirintos do umbral.

Seja voluntário na seara de Jesus, nosso Mestre e Senhor!

CAIRBAR SCHUTEL

# 59
# Renúncia

*Cap. XXIII — Item 5*

Se teus pais não procuram a intimidade do Cristo, renuncia à felicidade de vê-los comungar contigo o divino banquete da Boa-Nova e ajuda teus pais.

Se teus filhos permanecem distantes do Evangelho, renuncia ao contentamento de sentir-lhes o coração com o teu coração na senda redentora e ajuda teus filhos.

Se teus amigos não conseguem, ainda, perceber o Amor de Jesus, renuncia à ventura de guardá-los no calor de tua alma, ante o sol da Verdade, e ajuda teus amigos.

Renúncia com Jesus não quer dizer deserção. Expressa devotamento maior.

Nele mesmo, o Senhor, vamos encontrar o sublime exemplo.

Esquecido de muitos e por muitos relegado às agonias da negação, nem por isso se afastou dos companheiros que lhe deram as angústias do amor não amado.

Ressurgindo da cruz, ele, que atravessara sozinho os pesadelos da ingratidão e as torturas da morte, volta ao convívio deles e lhes diz confiante:

"Eis que estarei convosco até ao fim dos séculos".

EMMANUEL

# 60
# Vozes do evangelho

*Cap. XI — Item 2*

Destaque o lado bom dos seres e das coisas.
"Examine tudo e retenha o melhor".

\* \* \*

Não valorize o erro.
"Vença o mal com o bem".

\* \* \*

Auxilie sem exigência.
"Perdoe setenta vezes sete vezes".

\* \* \*

Fuja à impertinência.
"Não se queixem uns contra os outros, para que não sejam condenados".

\* \* \*

Não se irrite.
"Faça todas as coisas sem murmurações nem contendas".

\* \* \*

Não se imponha.
"Os discípulos do Senhor se conhecem por muito se amarem".

\* \* \*

Não pressione a ninguém.
"Atente bem para a lei da liberdade".

\* \* \*

Olvide a falta alheia.
"Lance mão do arado sem olhar para trás".

\* \* \*

Renuncie em silêncio.
"O cristão existe para servir e não para ser servido".

\* \* \*

Use a bondade incansável.
"Todas as suas ações sejam feitas com caridade".

André Luiz

# 61
# Encontro marcado

*Cap. VIII — Item 19*

Quando a aflição lhe bateu à porta, o discípulo tomou as notícias do Senhor e leu-lhe a promessa divina: "Estarei convosco até ao fim dos séculos...".
Acendeu-se-lhe a esperança no imo d'alma.
E, certa manhã, partiu à procura do Mestre, à feição da corça transviada no deserto, quando suspira pela fonte das águas vivas.
Entrou num templo repleto de luzes faiscantes, onde se lhe venerava a memória; todavia, não obstante sentir que a fé aí brilhava entre cânticos reverentes e flores devotas, não encontrou o Divino Amigo.
Buscou-o nos vastos recintos, onde se lhe pronunciava o nome com inflexão de supremo respeito; contudo, apesar de surpreender-lhe o ensinamento puro no verbo daqueles que sobraçavam dourados livros, não lhe anotou a presença.

Na jornada exaustiva, gastou as horas... Em vão, atravessou portadas e colunas, altares e jardins.

Descia, gélida, a noite, quando escutou os gemidos de uma criança doente, abandonada à sarjeta. Ajoelhando-se, asilou-a amorosamente na concha dos próprios braços. Ao levantar os olhos, viu Jesus diante dele e, fremente, bradou:

— Mestre! Mestre!...

O Excelso Benfeitor afagou-lhe a cabeça fatigada como quem lhe expungia toda a chaga de angústia e falou, compassivo:

— Realmente, filho meu, estarei com todos e em toda parte até ao fim dos séculos; no entanto, moro no coração da caridade, em cuja luz tenho encontro marcado com todos os aprendizes do bem eterno...

Debalde, tentou o discípulo reter o Senhor de encontro ao peito...

Através da neblina espessa das lágrimas a lhe inundarem o rosto mudo, reparou que a celeste visão se diluía no anilado fulgor do céu vespertino, mas, na acústica do próprio ser, ressoavam para ele agora as palavras inesquecíveis:

— Toda vez que amparardes a um desses pequeninos, por amor de meu nome, é a mim que o fazeis...

Meimei

# 62
# Indulgência

*Cap. X — Item 16*

A luz da alegria deve ser o facho continuamente aceso na atmosfera da experiência.

Circunstâncias diversas e principalmente as da indisciplina podem alterar o clima de paz em redor de nós e dentre elas se destaca a palavra impensada, como forja de incompreensão, a instalar entrechoques.

Daí o nosso dever básico de vigiar a nós mesmos na conversação, ampliando os recursos de entendimento nos ouvidos alheios.

Sejamos indulgentes. Se erramos, roguemos perdão. Se outros erraram, perdoemos.

O mal que desejarmos para alguém hoje, suscitará o mal para nós amanhã.

A mágoa não tem razão justa, e o perdão anula os problemas, diminuindo complicações e perdas de tempo.

É assim que a espontaneidade no bem estabelece a caridade real.

Quem não reconhece as próprias imperfeições demonstra incoerência em si mesmo.

Quem perdoa desconhece o remorso.

Ódio é fogo invisível na consciência.

O erro, por isso, não pede aversão, mas entendimento.

Erro nosso requer a bondade alheia; erro de outrem reclama a nossa clemência.

A Humanidade dispensa quem a censure, mas necessita de quem a estime.

E, ante o erro, debalde se multiplicam justificações e razões.

Antes de tudo, é preciso restaurar o trabalho em andamento, porque o retorno à tarefa é a consequência inevitável de toda fuga ao dever.

Quanto mais conhecemos a nós mesmos, mais amplo em nós o imperativo de perdoar.

Aprendamos, com o Evangelho, a fonte inexaurível da Verdade.

Você, amostra da grande prole de Deus, carece do amparo de todos e todos lhe solicitam amparo.

Saiba, pois, refletir o mundo em torno, recordando que, se o espelho inerte e frio retrata todos os aspectos dignos e indignos à sua volta, o pintor, consciente e respeitável, buscando criar atividade superior, somente exterioriza na pureza da tela os ângulos nobres e construtivos da vida.

ANDRÉ LUIZ

# 63
# Moeda e moenda

*Cap. XVI — Item 1*

Moeda é peça que representa dinheiro.
Moenda é peça que mói alguma coisa.
Moeda é força que valoriza.
Moenda é força que transforma.
Moeda é finança.
Moenda é ação.
Moeda é possibilidade.
Moenda é suor.
Moeda é recurso.
Moenda é utensílio.
A moeda apoia.
A moenda depura.
A moeda abona.
A moenda prepara.

Moeda parada é promessa estanque.
Moenda inerte é instrumento inútil.
Moeda mal dirigida traz sofrimento.
Moenda mal governada gera desastre.
Movimente a moeda nas boas obras e melhorará sua vida.
Acione a moenda no serviço e terá mesa farta.
A moeda é a moenda de seu caminho.
Lance hoje a sua moeda, na moenda do bem, praticando os seus ideais de trabalho e progresso, educação e caridade, e encontrará você amanhã preciosas colheitas de simpatia e cooperação, alegria e luz.

HILÁRIO SILVA

# 64
# O primeiro

*Cap. VII — Item 3
E qualquer que, entre vós,
quiser ser o primeiro,
seja vosso servo.* — Jesus
(*Mateus*, 20:27.)

Nos variados setores da experiência humana, encontramos as mais diversas criaturas a buscarem posições de destaque e postos de diretiva.

Há pessoas que enveredam pelas sendas do comércio e da indústria em corrida infrene por se elevarem nas asas frágeis da posse efêmera.

Muitas elegem a tirania risonha no campo social para se afirmarem poderosas e dominantes.

Outras pontificam por meio do intelecto, usando a ciência como apoio da autoridade que avocam para si mesmas.

Temos ainda as inteligências que, em nome da inovação ou da arte, se declaram francamente partidárias da delinquência e do vício para sossegarem as próprias ânsias de fulguração nas faixas da influência.

Todas caminham subordinadas às mesmas leis, elevando-se hoje para descer amanhã.

O império econômico, a autoridade terrestre ou o intelectualismo sistemático possibilitam a projeção da criatura no cenário humano, à feição de luz meteórica, riscando, instantaneamente, a imensidade dos céus.

Em piores circunstâncias, aquele que preferiu o brilho infernal do crime esbarra, em breve tempo, com a dureza de si mesmo, sendo constrangido a reunir os estilhaços da vida, provocados por suas ações lamentáveis, na recomposição do destino próprio.

Grande maioria toma a aparência do comando como sendo a melhor posição, e raros chegam a identificar, no anonimato da posição humilde, o posto de carreira que conduz a alma aos altiplanos da Criação.

Apesar de tudo, porém, a verdade permanece imutável.

A liderança real no caminho da vida não tem alicerces em recursos amoedados.

Não se encastela simplesmente em notoriedade de qualquer natureza.

Não depende unicamente de argúcia ou sagacidade.

Nem é fruto da erudição pretensiosa.

A chefia durável pertence aos que se ausentam de si mesmos, buscando os semelhantes para servi-los...

Esquecendo as luzes transitórias da ribalta do mundo...

Renunciando à concretização de sonhos pessoais em favor das realizações coletivas...

Obedecendo aos estímulos e avisos da consciência...

E por amar a todos sem reclamar amor para si, embora na condição de servo de todos, faz-se amado da vida, que nele concentra seus interesses fundamentais.

EMMANUEL

# 65
# Jesus sabe

*Cap. XII — Item 7*

Disseste: "não ajudo, porque esse homem é pervertido". De outra feita, afirmaste: "não auxilio, que essa mulher errou por querer...".

Não te lembraste, porém, de que Jesus, antes, lhes viu a falta e nem por isso lhes cortou o ensejo à necessária reparação.

Não percas tempo em procurar o mal; contudo, emprega atenção em socorrer-lhe as vítimas.

Diante desse ou daquele sucesso amargo, sempre mais do que nós, Jesus sabe...

Conhece o Divino Amigo onde se esconde o verme do vício, como também onde se oculta a farpa da crueldade.

Em razão disso, não te buscaria para relacionar as úlceras alheias nem para conferir os espinhos da estrada.

Se alguém prefere mergulhar na sombra, dize contigo: — Jesus sabe.

Se alguém te não escuta a palavra de amor, nota em silêncio: — Jesus sabe.

Se alguém surge enganado aos teus olhos, pensa, convicto: — Jesus sabe.

Se alguém foge de cumprir o dever, observa de novo: — Jesus sabe.

Faze o bem que puderes e, entregando a justiça à harmonia da Lei, entenderás, por fim, que Jesus nos chamou para fazer luzir a estrela da caridade onde a vida padeça o insulto da escuridão.

MEIMEI

# 66
# Com você mesmo

*Cap. V — Item 13*

Meu amigo, você clama contra as dificuldades do mundo, mas será que você já pensou nas facilidades em suas mãos? Observemos.

Você concorre, em tempo determinado, para exonerar-se da multa legal com expressiva taxa pelo consumo de luz e força elétricas; todavia, a usina solar que lhe fornece claridade, calor e vida, nem é assinalada comumente pela sua memória...

Você salda, periodicamente, largas contas relativas ao gasto de água encanada; no entanto, nem se lembra da gratuidade da água das chuvas e das fontes a enriquecer-lhe os dias...

Você estipendia na feira, com apreciáveis somas, todo gênero alimentício que lhe atenda ao paladar; contudo, o oxigênio — elemento mais importante a sustentar-lhe o organismo

— é utilizado em seu sangue sem pesar-lhe no orçamento com qualquer preocupação...

Você resgata com a loja novos débitos cada vez que renova o guarda-roupa e, apesar disso, nunca inventariou os bens que deve ao corpo de carne a resguardar-lhe o Espírito...

Você remunera o profissional especializado pela adaptação de um só dente artificial; entretanto, nada despendeu para obter a dentadura natural completa...

Você compra a drágea medicamentosa para leve dor de cabeça; todavia, recebe de graça a faculdade de articular, instante a instante, os mais complicados pensamentos...

Você gasta quantias estimáveis para assistir a esse ou àquele espetáculo esportivo ou à exibição de um filme; contudo, guarda sem sacrifício algum a possibilidade de contemplar o solo cheio de flores e o céu faiscante de estrelas...

Você paga para ouvir simples melodia de um conjunto orquestral; no entanto, ouve diariamente a divina música da Natureza, sem consumir vintém...

Você desembolsa importâncias enormes para adquirir passagens e indenizar hospedarias sempre que se desloca de casa; não obstante, passa-lhe despercebido o prêmio vultoso que recebeu com o próprio ingresso na romagem terrestre...

Não desespere, nem se lastime...

Atendamos à realidade, compreendendo que a alegria e a esperança, expressando créditos infinitos de Deus, são os motivos básicos da vida a erguer-se, cada momento, por sinfonia maravilhosa.

ANDRÉ LUIZ

# 67
# Mediunidade e Jesus

*Cap. VI — Item 7*

Quem hoje ironiza a mediunidade em nome do Cristo, esquece-se de que Jesus foi quem mais a honrou neste mundo, erguendo-a ao mais alto nível de aprimoramento e revelação, para alicerçar a sua eterna doutrina entre os homens. É assim que começa o apostolado divino, santificando-lhe os valores na clariaudiência e na clarividência entre Maria e Isabel, José e Zacarias, Ana e Simeão, no estabelecimento da Boa-Nova.

E segue adiante, enaltecendo-a na inspiração junto aos doutores do templo; exaltando-a nos fenômenos de efeitos físicos, ao transformar a água em vinho nas bodas de Caná; honorificando-a nas atividades da cura, transmitindo passes de socorro aos cegos e paralíticos, desalentados e aflitos, reconstituindo-lhes a saúde; ilustrando-a na levitação, quando caminha sobre as águas; dignificando-a nas tarefas de desobsessão, ao instruir e consolar desencarnados sofredores por intermédio dos alienados mentais que lhe surgem à frente; glorificando-a na materialização, transfigurando-se ao lado de Espíritos radiantes, no cimo do Tabor, e elevando-a sempre no magnetismo sublimado, aliviando os enfermos com a simples presença, revitalizando corpos cadaverizados, multiplicando pães e peixes para a turba faminta ou apaziguando as forças da Natureza.

Confirmando o intercâmbio entre os vivos da Terra e os vivos da Eternidade, reaparece, ele mesmo, ante os discípulos espantados, traçando planos de redenção que culminam no dia de Pentecostes — o momento inesquecível do Evangelho —, quando os seus mensageiros convertem os Apóstolos em médiuns falantes para esclarecimento do povo necessitado de luz.

Como é fácil de observar, a mediunidade, como recurso espiritual de sintonia, não se confunde com a Doutrina Espírita, que expressa atualmente o Cristianismo Redivivo, mas, sempre que enobrecida pela honestidade e pela fé, pela educação e pela virtude, é o veículo respeitável da convicção na sobrevivência.

Assim, pois, não nos agastemos contra aqueles que a perseguem, por meio do achincalhe — tristes negadores da realidade cristã, ainda mesmo quando se escondam sob os veneráveis distintivos da autoridade humana —, porquanto os talentos medianímicos estiveram, incessantemente, nas mãos de Jesus, o nosso Divino Mestre, que deve ser considerado, por todos nós, como sendo o Excelso Médium de Deus.

Eurípedes Barsanulfo

# 68
# Provas decisivas

*Cap. V — Item 19*

Clamas contra o infortúnio que te visita e desespera-te sem reação construtiva ante as horas de luta.

Falaram-te do Senhor e dos aprendizes abnegados que o seguiram nas horas primeiras, na senda marginada de prantos e sacrifícios... Queres, porém, comungar-lhe a paz e viver em menor esforço...

Todavia, quase todos os grandes vultos da Humanidade, em todas as épocas e em todos os povos, passaram pelo tempo das provas decisivas.

Senão observemos:

Cervantes ficou paralítico da mão esquerda e esteve preso sob a acusação de insolvente, mas sobrepairou acima da injúria e legou um tesouro à literatura da Terra.

Bernard Palissy experimentou tamanha pobreza que chegou, em certo momento, a queimar a mobília da própria casa, a fim de conseguir suficiente calor nos fornos em que fazia experiências; contudo, atingiu a perfeição que desejava em sua obra de ceramista.

Shakespeare sentiu-se em tão grande penúria, que se achou, um dia, a incendiar um teatro, tomado de desespero; entretanto, superou a crise e deixou no mundo obras-primas inesquecíveis.

Victor Hugo esteve exilado durante dezoito anos; todavia, nunca abandonou o trabalho e depôs o corpo físico no solo de sua pátria, sob a admiração do mundo inteiro.

Faraday, na mocidade, foi compelido a servir na condição de ajudante de ferreiro, de modo a custear os próprios estudos; no entanto, converteu-se num dos físicos mais respeitados por todas as nações.

Hertz enfrentou imensa falta de recursos e foi vendedor de revistas para sustentar-se; entretanto, venceu as dificuldades e tornou-se um dos maiores cientistas mundiais.

De igual modo, entre os espíritas, as condições de existência terrestre não têm sido outras.

Na França, Allan Kardec sofreu, por mais de uma década, insultuoso sarcasmo da maioria dos contemporâneos; contudo, jamais desanimou, entregando à posteridade o luminoso patrimônio da Codificação.

Na Espanha, Amalia Domingo Soler, ainda em plenitude das forças físicas, tolerou o suplício da fome na flagelação da cegueira; todavia, nunca duvidou da Providência Divina, consagrando ao pensamento espírita a riqueza de suas páginas imortais.

No Brasil, Bezerra de Menezes, abdicando das fulgurações da política humana e não obstante a posição de médico ilustre, partiu da Terra em extrema necessidade material, o que não impediu a sua elevação ao título de Apóstolo.

Em razão disso, não te deixes vencer pelos obstáculos.

A resignação humilde a misturar lágrimas e sorrisos, anseios e ideais, consolações e esperanças constrói sobre a criatura invisível auréola de glória que se exterioriza em ondas de simpatia e felicidade.

Quando o carro de tua vida estiver transitando pelo vale da aflição, recorda a paciência e continua trabalhando, confiando em Jesus e servindo com Ele.

Lameira de Andrade

# 69
# Riqueza e felicidade

*Cap. XVI — Item 5*

Há ricos do dinheiro, tão ricos de usura, que se fazem mais pobres que os pobres pedintes da via pública, que, muitas vezes, não dispõem sequer de um pão.

Há ricos de conhecimento, tão ricos de orgulho, que se fazem mais pobres que os pobres selvagens ainda insulados nas trevas da inteligência.

Há ricos de tempo, tão ricos de preguiça, que se fazem mais pobres que os pobres escravizados às tarefas de sacrifício.

Há ricos de possibilidades, tão ricos de egoísmo, que se fazem mais pobres que os pobres irmãos em amargas lutas expiatórias, que de tudo carecem para ajudar.

Há ricos de afeto, tão ricos de ciúme, que se fazem mais pobres que os pobres companheiros em prova rude, quando relegados à solidão.

Lembra-te, pois, de que todos somos ricos de alguma coisa ante o Suprimento Divino da Divina Bondade e, usando os talentos que a vida te confia na missão de fazer mais felizes aqueles que te rodeiam, chegará o momento em que te surpreenderás mais rico que todos os ricos da Terra, porquanto entesourarás no próprio coração a eterna felicidade que verte do Amor de Deus.

EMMANUEL

# 70
# Na tarefa de ajudar

*Cap. XIII — Item 11*

Auxilie a quem lhe procure a presença, mas não se esqueça de socorrer diretamente quem padece a distância.

\* \* \*

Transfira a cooperação alheia aos lares menos aquinhoados, porém não se desobrigue de contribuir com a sua cota de ajuda pessoal.

\* \* \*

Distribua o que lhe sobre à mesa, tanto quanto no guarda-roupa e na bolsa; contudo, siga além, doando, a quem sofre, os recursos positivos de seu sentimento.

* * *

Empreste, com justiça, o que lhe peçam; no entanto, não menospreze transformar os seus empréstimos em dádivas fraternais.

* * *

Colabore indiscriminadamente para o bem de todos aqueles que lhe estejam próximos; todavia, esforce-se por aprimorar os métodos da sua colaboração para ajudar melhor.

* * *

Organize a sua vida em disciplina rigorosa no dever cumprido, ainda assim, faça o tempo de persistir no trabalho de assistência aos irmãos em luta maior.

* * *

Atenda ao estômago faminto e ao corpo enfermo do companheiro em provação; entretanto, não recuse favorecê-lo com a palavra consoladora e com o livro nobre.

* * *

Seja o intermediário entre distribuidores generosos e corações menos felizes, porém não deixe de convidar os que se beneficiam materialmente a se beneficiarem do ponto de vista moral nas visitas de socorro evangélico e solidariedade humana.

* * *

Dê o máximo de suas possibilidades no amparo aos semelhantes, mas não se satisfaça com os resultados obtidos, buscando enriquecer os seus dotes de eficiência no plantio da caridade.

\* \* \*

Exemplifique a beneficência tanto quanto lhe seja possível em todas as circunstâncias; contudo, prefira a naturalidade e a discrição para revestir as suas mínimas atitudes.

\* \* \*

Lembre-se de que, na tarefa de ajudar, o bem maior é sempre aquele que ainda está por fazer, à espera da nossa disposição.

André Luiz

# 71
# Esperando por ti

*Cap. XII — Item 8*

Antes de pronunciares a frase amarga que te explode no coração, tentando romper as barreiras da boca, pensa na bondade de Deus, que te envolve por toda parte.

A Natureza é colo de mãe expectante...

Assemelha-se a luz celeste ao olhar do próprio amor que te segue às ocultas, e o ar que respiras é assim como o sopro da ternura de alguém a estender-te alimento invisível.

Tudo serve em silêncio, esperando por ti.

Abre-se a via pública, aos teus pés, à feição de amistoso convite, a água pura está pronta a mitigar-te a sede, o livro nobre aguarda o toque de tuas mãos para consolar-te, e o fruto, pendendo da árvore, roga, humilde, que o recolhas.

Pensa na bondade de Deus e não digas a palavra que desencoraje ou amaldiçoe.

Cala-te, onde não possas auxiliar.

Deixa que tua alma se enterneça, ajudando nas construções do Bem Eterno, que tudo nos dá, sem nada exigir.

E compreenderás, então, que Deus te oferece a vida por divina sinfonia e que essa divina sinfonia pede que lhe dê também tua nota.

MEIMEI

# 72
# Sem idolatria

*Cap. XXI — Item 8*
*Não vos façais, pois, idólatras...* – Paulo
(*I Coríntios*, 10:7.)

Núcleos religiosos de todos os tempos e mesmo certas práticas, estranhas à Religião, têm usado a idolatria como tradição fundamental para manter sempre viva a chama da fé e o calor do ideal.

O hábito vinculou-se tão profundamente ao espírito popular que, em plena atualidade, nos arraiais do Espiritismo Cristão, a desfraldar a bandeira da fé raciocinada, às vezes ainda encontramos criaturas tentando a substituição dos ídolos inertes pelos companheiros de carne e osso da experiência comum, quando chamados ao desempenho da responsabilidade mediúnica.

Urge, desse modo, compreendermos a impropriedade da idolatria de qualquer natureza, fugindo, entretanto, à iconoclastia e à violência no cultivo do respeito e da compreensão diante das convicções alheias de modo a servirmos na libertação mental dos outros, na esfera do bom exemplo.

A advertência apostólica vem comprovar que a Doutrina Cristã, em sua pureza de fundamentos, surgiu no clima da Galileia, dispensando a adoração indébita, em todas as circunstâncias, devendo-se exclusivamente à interferência humana os excedentes que lhe foram impostos ao exercício simples e natural.

Assim, proscreve de teu caminho qualquer prurido idolátrico em torno de objetos ou pessoas, reafirmando a própria emancipação das algemas seculares que vêm cerceando o intercâmbio das criaturas encarnadas com o Reino do Espírito, mediante a legítima confiança.

Recebemos hoje a incumbência de aplicar, na edificação do bem desinteressado, o tempo e a energia que desperdiçávamos, outrora, à frente dos ídolos mortos, de maneira a substancializarmos o ideal religioso, no progresso e na educação, prelibando as realidades da vida gloriosa.

EMMANUEL

# 73
# Se você pensar

*Cap. IX — Item 6*

Diz você que a palavra do companheiro é agressiva demais; no entanto, se você pensar nas frases contundentes que lhe saem da boca, nem de leve passará sobre o assunto.

Diz você que o amigo praticou erro grave; contudo, se você pensar nos delitos maiores que deixou de cometer, simplesmente por fugir-lhe a oportunidade, não encontrará motivo de acusação.

Diz você haver sofrido pesada ofensa; entretanto, se você pensar quantas vezes tem ferido os outros, olvidará, incontinente, as falhas alheias.

Diz você que não suporta mais os trabalhos com que os familiares lhe tributam as horas, mas, se você pensar nos incômodos que a sua existência tem exigido de todos eles, não terá gosto de reclamar.

Diz você que os seus sacrifícios são muito grandes em favor do próximo; no entanto, se você pensar nas vidas que morrem diariamente para que você tenha a mesa farta, decerto não falará mais nisso.

Diz você que as suas necessidades são invencíveis; contudo, se você pensar nas privações daqueles que seriam infinitamente felizes com as sobras de sua casa, não tropeçaria na queixa.

Diz você que não pode ajudar na beneficência em razão de velha enxaqueca; contudo, se você pensar naqueles que jazem no leito dos hospitais, implorando um momento de alívio, não adiará seu concurso.

Diz você que não dispõe de tempo para o cultivo da caridade, mas, se você pensar nos mil e quatrocentos e quarenta minutos que você tem, cada dia, para viver na Terra, não se esconderá em semelhante desculpa.

Em todo assunto de falta e perdão, não nos demoremos visando aos outros. Pensemos em nós próprios e preferiremos fazer silêncio, extinguindo o mal.

ANDRÉ LUIZ

# 74
# Que ovelha somos?

*Cap. XX — Item 5*
*Eu sou o bom pastor e conheço as minhas*
*ovelhas e das minhas sou conhecido.* – JESUS
*(João, 10:14.)*

O pastor atento se identifica com o rebanho de tal maneira, que define de pronto qualquer das ovelhas mantidas a seu cuidado.

Conhece as mais ativas.
Descobre as indiferentes.
Nomeia as retardatárias.
Registra as que lideram.
Classifica a lã que venham a produzir.
Tudo faz em favor de todas.

Por sua vez, as ovelhas, pouco a pouco, percebem, dentro da limitação que as caracteriza, o modo de ser do pastor que as dirige.

Habituam-se aos lugares que lhe são prediletos.

Respeitam-lhe os sinais.

Acatam-lhe as ordens.

Reconhecem-lhe o poder diretivo, sem confundir-lhe a presença.

Na imagem, temos a divina missão do Cristo para conosco.

O Pastor compassivo conhece cada uma das ovelhas do redil humano, tudo fazendo para guiá-las ao campo da luz celeste.

Incentiva as indiferentes.

Acalma as impetuosas.

Fortalece as mais fracas.

Apoia as mais responsáveis.

Sopesa o valor de todas segundo as peculiaridades e tendências de cada uma.

E, de igual modo, as ovelhas do rebanho terrestre, gradativamente, vêm a conhecer e a sentir a existência abençoada do Bom Pastor.

Entendem-lhe os ensinamentos e admoestações.

Reverenciam a excelência do seu Amor.

Confiam serenamente em sua misericórdia.

Esposam-lhe os ideais e buscam corresponder-lhe à vontade, destacando-o, nos quadros da vida, por intermediário do Pai Excelso.

Desse modo, cabe-nos atender ao chamamento do Mestre, melhorando as condições da vida no mundo com base em nossa própria renovação.

Nesse programa de luta, vale indagar de nós mesmos:

— Que ovelha somos?

E com semelhante pergunta, busquemos na disciplina, ante o Cristo de Deus, a nossa posição de servidores do bem, na certeza de que a humildade conferir-nos-á sintonia com o Divino Pastor, para que, sublimando e servindo, atinjamos com ele o aprisco celeste na imortalidade vitoriosa.

EMMANUEL

# 75
# Prece dos filhos

*Cap. XIV — Item 2*

Senhor, que criastes as leis que nos regem e o mundo que nos acolhe; que nos destes a glória solar por luz de vossa onipresença e o manto estrelado que resplende nos Céus por divina promessa de que a vossa misericórdia fundirá, em láurea fulgurante de redenção, as trevas dos nossos erros; que sois a justiça nos justos, a santidade nos santos, a sabedoria nos sábios, a pureza nos puros, a humildade nos humildes, a bondade nos bons, a virtude nos virtuosos, a vitória nos triunfadores do bem e a fidelidade nas almas fiéis, derramai a bênção de vossa compaixão sobre nós a fim de que venhamos, ainda que por relampagueante minuto, a esquecer os horizontes anuviados da Terra em que se acumulam as vibrações letíferas de nossas malquerenças e o fumo empestado de nossos desesperos, convertidos na miséria e no ódio que se voltam, constantes, contra nós, da caliça do tempo!... Fazei, Senhor, que se nos dobrem as cervizes sobre os campos do planeta que semeastes de fontes e embalsamastes de perfumes, que engrinaldastes de flores e loirejastes de frutos, e se nos acomode o pensamento na oração, olvidando, por um momento só, a lei de Caim, a que temos atrelado o carro dos nossos falsos princípios de soberania e de força, ensanguentando searas e templos, lares e escolas, e assassinando mulheres e crianças, a invocarmos a chacina e a violência por suposto direito das nações!... E permiti, ó Deus da liberalidade infinita, que irmanados no santuário doméstico possamos todos nós, ante a paz que nos requesta ao trabalho dealvando o futuro, louvar-nos o nome inefável, reconhecidos e reverentes, por haverdes concedido às nossas deserções e às nossas calamidades a coroa de heroísmo e o tesouro de amor que brilham em nossas mães.

Ruy

# 76
# Letreiros vivos

*Cap. XVII — Item 3*

Nas faixas mínimas da sua experiência cotidiana, surge o roteiro humano que você representa para os outros.

Os traços do semblante pintam-lhe o clima interior.

Os seus objetos de uso pessoal compõem o edifício da sua simplicidade.

A ordem dos seus afazeres indica-lhe o grau de disciplina.

O cumprimento das suas obrigações denuncia-lhe o valor da palavra empenhada.

O teor da amizade dos seus vizinhos para com a sua pessoa qualifica a sua capacidade de se fazer entendido.

O diapasão da sua palestra dá o tom da sua altura íntima.

A segurança da sua opinião traduz a firmeza dos seus ideais.

Os tecidos que lhe envolvem o corpo configuram-lhe o senso de naturalidade.

As iguarias da sua mesa revelam-lhe o papel do estômago no mundo moral.

A natureza do cuidado com o seu físico fala francamente de suas possíveis relações com a vaidade.

O seu presente diz, para todos, o que você foi no passado e o que você será no porvir, com reduzidas possibilidades de erro.

A uniformidade entre o movimento das suas ideias, dos seus conceitos e das suas ações disseca, à vista de todos, a fibra da sua vontade.

\* \* \*

Todas as criaturas que lhe partilham a existência leem incessantemente os letreiros vivos que lhe estabelecem a verdadeira identidade nos panoramas da vida, respondendo-lhe as mensagens inarticuladas com aversão ou simpatia, contentamento ou desagrado, conforme a sua plantação de bem ou mal.

ANDRÉ LUIZ

# 77
# Perdoa e serve

*Cap. VIII — Item 13*

Tiveste hoje motivo de reclamar.
No entanto, perdoa e serve sempre.
Medita e perceberás o problema dos outros.
Alguém levantou a voz, procurando ferir-te...
Mas não lhe viste as marcas da enfermidade com que talvez amanhã se recolha à sombra do hospício.
Esse passou renteando contigo, fingindo não te ver...
Pensa, contudo, que, dentro de breves dias, possivelmente buscará, em vão, esconder os sulcos das próprias chagas.
Aquele te furtou, roubando a si mesmo.
Aquele outro julga enganar-te, quando ilude a si próprio.
E há quem se suponha colocado tão alto que não teme oprimir-te, para cair, em breve tempo, sob o golpe da morte.

Perdoa a tudo e a todos, infatigavelmente, porque os ofensores de qualquer condição carregam consigo o remorso, como espinho de fogo encravado no próprio ser.

Toda criatura necessita de perdão, como precisa de ar, porquanto o Amor é o sustento da vida.

Não permitas, porém, que o perdão seja apenas um som musical nos movimentos da língua.

Reflete quantas vezes tens errado também, reclamando entendimento e tolerância, e esquece toda ofensa, recomeçando a servir ao lado de teus irmãos.

Lembra-te, acima de tudo, de que, perdoando, a bênção de Deus consegue descer até as lutas da alma e que somente perdoando é que a alma consegue elevar-se para a bênção de Deus.

MEIMEI

# 78
# Na exaltação do amor

*Cap. XI — Item 10*

A folha ressequida que cai, anônima, do pedúnculo em que nasceu é bem o símbolo do poder oculto de Deus na Natureza.

Poder que é força, vida e amor...
Quem a recolheu?
O Sol? Não. O vento? Não. O homem? Não.

A folha desceu por si mesma, segundo os ditames preestabelecidos pelas Leis Gerais do Universo, para o seio fecundante da Terra que a transforma em novo elemento no laboratório da incessante renovação.

Assim também se movem as criaturas e os destinos.
A folha cai... Os mundos caminham... O homem evolve...

Brilha o Sol, naturalmente, mantendo a família planetária nos domínios da casa cósmica.

Avança o vento, sem esforço, nutrindo a euforia das plantas.

Em princípios de soberana espontaneidade, constrói o homem a própria existência.

Saber não é tudo.

Só o Amor consegue totalizar a glória da vida. Quem vive respira. Quem trabalha progride. Quem sabe percebe. Quem ama respira, progride, percebe, compreende, serve e sublima, espalhando a felicidade.

Siga, pois, seu roteiro, louvando o bem, esquecendo o mal e edificando sem repouso.

Se o caminho é áspero e sombrio, prossiga com destemor.

Lembre-se de que na vanguarda há mais amplo local para a sua esperança.

Busque ouvir a mensagem do Amor onde passe.

Estude amando.

Responda aos imperativos da evolução, amando onde esteja.

Atenda ao semelhante, amando com alegria.

Satisfará, em tudo, a você mesmo, amando sempre.

Na marcha ascendente para o Reino Divino, o Amor é a estrada real. As outras vias chamam-se experiências que a Eterna Sabedoria, ainda por amor, traçou à grande viagem das almas para que o espírito humano não se perca.

Antes de você, o Amor já era.

Depois de você, o Amor será.

Isso porque o Amor é Deus em tudo.

Viva, assim, a vida, amando-a para entendê-la.

Viver e amar...

Amar e compreender...

Compreender e viver abundantemente...

Ângulos de uma verdade só — a vida eterna.

No entanto, viver sem amar é respirar sem trabalho digno; querer com exclusivismo entontecente é contemplar situações e circunstâncias com apriorismos que geram a enfermidade e a morte.

Se você sabe, portanto, o que é viver, por que não vive?

Só vive realmente quem ama.

Só ama efetivamente quem age para o bem de todos.

Só age, sem dúvida, para o bem de todos, quem compreende que o Amor é a base da própria vida.

Fora dessa verdade, há também movimento e ação, mas movimento e ação de sombra, que tornará fatalmente à luz em ciclos determinados de choro, provação e martírio.

Nada novo, sempre a Lei, que funciona compassiva, mas inexorável, restituindo a cada sementeira a colheita certa.

Comande a embarcação de seu destino e não atribua a outrem os erros que as suas mãos venham a cometer.

De você mesmo depende a própria viagem.

Instrua a você, sem procurar encobrir, ante a própria consciência, as faltas que lhe arrojam a alma ao desencanto ou ao agravo das próprias necessidades do Espírito.

Ainda que a noite lhe envolva o passo, alente, no imo do ser, o dia eterno da fé.

Não se confie ao sabor da invigilância, para que a invigilância não lhe arraste a existência ao sabor do sofrimento.

Antes de nós, o Universo era o santuário da Glória Divina.

Lembremo-nos, pois, de que Deus nos criou para acrescentar-lhe a grandeza.

Não lhe diminuamos o esplendor, cultivando a treva...

Enganaremos a forma.

Jamais enganaremos a vida que palpita, triunfante, em nós mesmos.

Aprenda a buscar aquilo de que você carece no próprio aperfeiçoamento, antes que alguém lho ensine a preço de aflição.

Busque o roteiro exato, antes que outros se lhe ofereçam, no dia de sua perturbação, para guias de sua dor.

Força é poder. Ideia é força.

Mas só o Amor condiciona o poder para a vitória da luz.

Ame e caminhe. Caminhe e vença.

Anote hoje os seus movimentos no ritmo do trabalho e da oração, e o amanhã surgirá com brilho sempre novo.

Sorria para os lances mais difíceis da estrada e os panoramas próximos e remotos descerrar-se-ão sorrindo à sua alma.

Não pare senão para refazer o fôlego atormentado.

Mais além, é a estrada de destino.

Não escute o murmúrio das sombras senão para socorrer as vítimas do mal, a fim de que os gemidos enganadores do nevoeiro não lhe anestesiem o impulso de elevação.

A fraternidade ser-lhe-á o anjo sentinela entre os pântanos da amargura.

Cante o poema da caridade, seja onde for, e as criaturas irmãs, mesmo quando algemadas ao crime, responder-lhe-ão com estribilhos de amor.

Guarde compaixão, e a paz ser-lhe-á doce prêmio.

Exemplifique a fé que lhe honra a inteligência, e o mundo abençoar-lhe-á todas as palavras.

Amanheça cada dia no serviço que lhe compete, e o dever retamente cumprido manterá você, invariavelmente, na manhã luminosa da vida.

Antes de se amparar, ampare aqueles que há muito suspiram pela migalha de seu amparo.

Antes de nossa vontade, a vontade do Senhor.

Antes do bem para nós, o bem necessário aos outros.

Seja para você a justiça que observa e corrige e seja para o irmão de jornada a bondade que ajuda e absolve sempre.

Sobretudo, guarde a certeza de que o Amor se emoldura na humildade que nunca fere.

Coloque você em último lugar, e a vida encarregar-se-á de sua própria defesa em qualquer parte.

Mesmo com sacrifício, sob chuvas de fel e gritos de calúnia, renda diariamente o seu culto ao Amor, e o Amor na própria vida brilhará em sua alma, convertendo-a em estrela para a glória sem-fim.

André Luiz

# 79
# Benefício oculto

*Cap. XIII — Item 3*

"Não saiba vossa mão esquerda o que oferece a direita" é a lição de Jesus que constantemente nos sugere a sementeira do bem oculto.

Entretanto, é preciso lembrar que, se "nem só de pão vive o homem", não se alimenta a virtude tão somente de recursos materiais.

Acima do benefício que se esconde para ser mais seguro no campo físico, de modo a que se não firam corpos doentes e bocas famintas pelos acúleos da ostentação, prevalece o amparo mudo às necessidades do sentimento na esfera do Espírito, a fim de que os tóxicos da maldade e os desastres do escândalo não arrasem experiências preciosas com o fogo da imprevidência.

Se percebeste no companheiro as escamas do orgulho ou da rebeldia, envolve-o no clima da humildade, socorrendo-lhe a sede imanifesta de auxílio, e se presenciaste a queda de alguém, no caminho em que jornadeias, alonga-lhe os braços de irmão, para que se levante, sem exagerar-lhe os desajustes com a referência insensata.

Se um amigo aparece errado aos teus olhos, cala o verbo contundente da crítica, ajudando-o com a bênção da prece, e se o próximo surge desorientado e infeliz em teus passos, oferta-lhe o favor do silêncio, para que se reequilibre e restaure.

Não vale encarecer cicatrizes e imperfeições a pretexto de apagá-las no corpo das horas, porquanto leve chaga tratada com desamor é sempre ferida a cronicificar-se no tempo.

Distribui, desse modo, a beneficência do agasalho e do pão, evitando humilhar quem te recolhe os gestos de providência e carinho; contudo, não olvides estender a caridade do pensamento e da língua, para que o bálsamo do perdão anule o veneno do ódio e para que a força do esquecimento extinga as sombras de todo mal.

EMMANUEL

# 80
# A festa

*Cap. IX — Item 7*

Era homem de meia-idade. Chamava-se Frederico Manuel de Ávila.

Comerciante progressista. Espírita há dois lustros, buscava pautar a existência pelo Evangelho Renovador.

Contudo, era sempre afobado. Raro se detinha para examinar um problema maior. Impaciente. Precipitado. Febricitante.

Várias vezes fora admoestado para reduzir a marcha da própria vida.

Amigos aconselharam. Espíritos advertiram.

Tudo inútil.

Certo dia, demorando-se mais no escritório, voltou ao lar, quase noitinha, acelerado como de hábito.

De posse da chave, abriu a porta e entrou.

Percorria o corredor para chegar a uma das salas, quando nota um vulto caminhando para ele, a toda pressa, na penumbra...

Surpreendido e amedrontado ante a figura estranha, julgou-se à frente de algum amigo do alheio e volveu sobre os próprios passos, em corrida aberta.

Na fuga, porém, tropeça num canteiro do jardim e cai, gritando, estentórico.

Os gritos atraem vizinhos, pressurosos, que o encontram desmaiado.

É conduzido ao hospital próximo.

Frederico fraturara uma perna...

Mais tarde, volta a casa com a perna engessada.

Na intimidade da família, foi compelido a lembrar-se de que aniversariava naquele dia...

E tudo ficou esclarecido.

Como se demorasse em serviço, os parentes quiseram surpreendê-lo no trabalho, verificando-se o desencontro.

A esposa e os filhos, para recepcioná-lo alegremente em festa íntima, alteraram as disposições dos móveis do interior da casa.

E só então pôde compreender que o vulto que o assustara era ele mesmo refletido no grande espelho da parede da sala de jantar que fora mudado de posição...

Hilário Silva

# 81
# História de um pão

*Cap. XIII — Item 15*

Quando Barsabás, o tirano, demandou o reino da morte, buscou debalde reintegrar-se no grande palácio que lhe servira de residência.

A viúva, alegando infinita mágoa, desfizera-se da moradia, vendendo-lhe os adornos.

Viu ele, então, baixelas e candelabros, telas e jarrões, tapetes e perfumes, joias e relíquias sob o martelo do leiloeiro, enquanto os filhos querelavam no tribunal, disputando a melhor parte da herança.

Ninguém lhe lembrava o nome, desde que não fosse para reclamar o ouro e a prata que doara a mordomos distintos.

E, porque na memória de semelhantes amigos ele não passava, agora, de sombra, tentou o interesse afetivo de companheiros outros da infância...

Todavia, entre estes encontrou simplesmente a recordação dos próprios atos de malquerença e de usura.

Barsabás entregou-se às lágrimas de tal modo, que a sombra lhe embargou, por fim, a visão, arrojando-o nas trevas...

Vagueou por muito tempo no nevoeiro, entre vozes acusadoras, até que um dia aprendeu a pedir na oração e, como se a rogativa lhe servisse de bússola, embora caminhasse às escuras, eis que, de súbito, se lhe extingue a cegueira e ele vê, diante de seus passos, um santuário sublime, faiscante de luzes.

Milhões de estrelas e pétalas fulgurantes povoavam-no em todas as direções.

Barsabás, sem perceber, alcançara a Casa das Preces de Louvor nas faixas inferiores do firmamento.

Não obstante deslumbrado, chorou, impulsivo, ante o ministro espiritual que velava no pórtico.

Após ouvi-lo, generoso, o funcionário angélico falou, sereno:

— Barsabás, cada fragmento luminoso que contemplas é uma prece de gratidão que subiu da Terra...

— Ai de mim — soluçou o desventurado — eu jamais fiz o bem...

— Em verdade — prosseguiu o informante —, trazes contigo, em grandes sinais, o pranto e o sangue dos doentes e das viúvas, dos velhinhos e órfãos indefesos que despojaste nos teus dias de invigilância e de crueldade; entretanto, tens aqui, em teu crédito, uma oração de louvor...

E apontou-lhe acanhada estrela que brilhava à feição de pequeno disco solar.

— Há 32 anos — disse, ainda, o instrutor — deste um pão a uma criança e essa criança te agradeceu em prece ao Senhor da Vida.

Chorando de alegria e consultando velhas lembranças, Barsabás perguntou:

— Jonakim, o enjeitado?

— Sim, ele mesmo — confirmou o missionário divino. — Segue a claridade do pão que deste, um dia, por amor, e livrar-te-ás, em definitivo, do sofrimento nas trevas.

E Barsabás acompanhou o tênue raio do tênue fulgor que se desprendia daquela gota estelar, mas, em vez de elevar-se às Alturas, encontrou-se numa carpintaria humilde da própria Terra.

Um homem calejado aí refletia, manobrando a enxó em pesado lenho...

Era Jonakim, aos quarenta de idade.

Como se estivessem os dois identificados no doce fio de luz, Barsabás abraçou-se a ele, qual viajante abatido de volta ao calor do lar.

Decorrido um ano, Jonakim, o carpinteiro, ostentava, sorridente, nos braços, mais um filhinho, cujos louros cabelos emolduravam belos olhos azuis.

Com a bênção de um pão dado a um menino triste, por espírito de amor puro, conquistara Barsabás, nas Leis Eternas, o prêmio de renascer para redimir-se.

Irmão X

# 82
# Nem castigo, nem perdão

*Cap. V — Item 5*

O espírita encontra na própria fé — o Cristianismo Redivivo — estímulos novos para viver com alegria, pois, com ele, os conceitos fundamentais da existência recebem sopros poderosos de renovação.

A Terra não é prisão de sofrimento eterno.
É escola abençoada das almas.
A felicidade não é miragem do porvir.
É realidade de hoje.
A dor não é forjada por outrem.
É criação do próprio Espírito.
A virtude não é contentamento futuro.
É júbilo que já existe.

A morte não é santificação automática.
É mudança de trabalho e de clima.
O futuro não é surpresa atordoante.
É consequência dos atos presentes.
O bem não é o conforto do próximo, apenas.
É ajuda a nós mesmos.

Deus é equidade soberana, não castiga nem perdoa, mas o ser consciente profere para si as sentenças de absolvição ou culpa ante as Leis Divinas.

Nossa conduta é o processo; nossa consciência, o tribunal.

Não nos esqueçamos, portanto, de que, se a Doutrina Espírita dilata o entendimento da vida, amplia a responsabilidade da criatura.

As raízes das grandes provas irrompem do passado — subsolo da nossa existência — e, na estrada da evolução, quem sai de uma vida entra em outra, porque berço e túmulo são, simultaneamente, entradas e saídas em planos da vida eterna.

ANDRÉ LUIZ

# 83
# Nossos irmãos

*Cap. XII — Item 5*

Um pensamento de simpatia e de amor para os nossos irmãos que se recuperam!... Muitos são chamados criminosos, mas, em verdade, foram doentes. Sofriam desequilíbrios da alma, que se lhes encravavam no ser, quais moléstias ocultas.

Praticaram delitos, sim... Hoje, entretanto, procuram-te a companhia, sonhando renovação.

Amaram, ignorando que o afeto deve estar vinculado à harmonia da consciência, e amargaram terrível secura em labirintos de sombra, a suspirarem agora pelo orvalho da luz.

Eram sovinas e sonegavam o pão à boca faminta dos semelhantes; contudo, pretendem contigo o reingresso na escola da caridade.

Acreditava-se em regime de exceção, quando o orgulho lhes assoprava a mentira; no entanto, após resvalarem no erro, refugiam-se em tua fé, anelando refazimento.

Renderam-se às tentações e foram pilhados na armadilha do mal; todavia, presentemente, buscam-te os olhos e apertam-te as mãos, ansiando esquecer e recomeçar.

Não lhes fites o desacerto.

Alimenta-lhes a esperança.

Não te animarias a espancar a cabeça de quem estivesse a convalescer depois da loucura, nem cortarias a pele em cicatrizes recentes.

Enfermos graves da alma, todos nós fomos ontem!...

Rende, pois, graças a Deus, se já podes prestar auxílio, porque, se chegaste ao grau de restauração em que te encontras, é que, decerto, alguém caminhou pacientemente contigo, com bastante amor de servir e bastante coragem de suportar.

ALBINO TEIXEIRA

# 84
# Pró ou contra

*Cap. XVII — Item 4*
*Quem não é comigo*
*é contra mim. — Jesus*
(Lucas, 11:23.)

Entre o bem e o mal não existe neutralidade.

De igual modo, não há miscibilidade ou transição entre a verdade e a mentira.

Escondemo-nos na sombra ou revelamo-nos na luz.

Quem não edifica o bem só por essa omissão já está forjando o mal em forma de negligência.

Quem foge à realidade cairá inevitavelmente no engano de consequências imprevisíveis.

Importa considerar, entretanto, a relatividade das posições individuais nos quadros da vida coletiva para não encarcerarmos a própria conduta em opiniões inamovíveis.

Desse modo, busquemos sempre, acima de tudo, a verdade fundamental que dimana do Criador e o bem maior, relativo ao interesse espiritual de todas as criaturas.

Partindo desse princípio basilar, sentiremos a realidade do esclarecimento justo do Senhor:

"Quem não é comigo é contra mim".

A necessidade mais imperiosa de nossas almas é sempre aquela do culto incessante à caridade pura sem condições de qualquer natureza. Quem estiver fora dessa orientação respira a distância do apostolado com Jesus.

Para assegurar-nos a firme atitude na senda reta, trazemos dentro de nós a consciência, à feição de porta-voz do roteiro exato.

Nos mínimos sucessos de cada dia, define-te, pois, com clareza, para que te não abandones à neblina dos vales de indecisão.

Estacionamento no mal, ou ascensão para o bem.

Com Jesus ou distante dele.

Isso significa que estarás ao lado do Cristo, desprezando agora as supostas facilidades que gerarão depois as dificuldades reais, ou abraçando, hoje, a cruz do caminho, que, amanhã, conferir-te-á o galardão do imarcescível triunfo.

EMMANUEL

# 85
# Prece do pão

*Cap. XIII — Item 7*

Senhor!
Entre aqueles que te pedem proteção estou eu também, servo humilde a quem mandaste extinguir o flagelo da fome.

Partilhando o movimento daqueles que te servem, fiz hoje igualmente o meu giro.

Vi-me frequentemente detido em lares faustosos, cooperando nas alegrias da mesa farta, mas vi pobres mulheres que me estendiam, debalde, as mãos!...

Vi crianças esquálidas que me olhavam ansiosas, como se estivessem fitando um tesouro perdido.

Encontrei homens tristes, transpirando, que me contemplavam, agoniados, rogando, em silêncio, para que lhes socorresse os filhinhos largados ao extremo infortúnio...

Escutei doentes que não precisavam tanto de remédio, mas de mim, para que pudessem atender ao estômago torturado!...

Vi a penúria cansada de pranto e reparei, em muitos corações desvalidos, mudo desespero por minha causa.

Entretanto, Senhor, quase sempre estou encarcerado por aquelas mesmas criaturas que te dizem honrar.

Falam em teu nome, confortadas e distraídas na moldura do supérfluo, esquecendo que caminhaste, no mundo, sem reter uma pedra em que repousar a cabeça.

Elogiam-te a bondade e exaltam-te a glória, sem perceber, junto delas, seus próprios irmãos fatigados e desnutridos. E, muitas vezes, depois de formosas dissertações em torno de teus ensinos, aprisionam-me em gavetas e armários, quando não me trancam sob a tela colorida de vitrinas custosas ou no recinto escuro dos armazéns.

Ensina-lhes, Senhor, nas lições da caridade, a dividir-me por amor, para que eu não seja motivo à delinquência.

E, se possível, multiplica-me, por misericórdia, outra vez, a fim de que eu possa aliviar todos os famintos da Terra, porque, um dia, Senhor, quando ensinavas o homem a orar, incluíste-me entre as necessidades mais justas da vida, suplicando também a Deus:

— *O pão nosso de cada dia dai-nos hoje.*

MEIMEI

# 86
# Os novos samaritanos

*Cap. XV — Item 2*

Quem ainda não caiu nos resvaladouros do erro?
Quem ainda não se viu forçado a reerguer-se de muitas quedas?
Tange as fibras do coração e estende a indulgência, servindo aos companheiros que o açoite da provação flagela e vergasta.
Ei-los que surgem por toda parte:
O doente recluso no manicômio, expirando à míngua de luz, no crepúsculo da existência...
A jovem acidentada, cujos olhos empalidecem para não mais fitarem o azul do céu...
O moço que ostenta a saúde a brincar-lhe no corpo e a irreflexão a empurrar-lhe a alma para os antros do vício...
O mulher que resume ao mesmo tempo a ternura de mil mãezinhas, ao enlaçar o filhinho amado e enfermo, desfalecente e já sem forças para chorar...

O homem de passo errante que se estira de cansaço sobre passeios e bancos da via pública, tentando conciliar o sono sem sonhos do supremo infortúnio...

O cultivador do solo, preso a dores antigas e que não troca de vestimenta há vários meses de intensa luta...

A dama elegante e bela que traz o coração repleto de enganos sob o colo estrelado de joias...

O ébrio de olhar sem brilho e de lábios sem cor, que avança para o sepulcro, cambaleando aos soluços dos filhos entregues à ignorância e à necessidade...

A velhinha encarquilhada que ainda busca coser farrapos de velhos sonhos...

O sentenciado infeliz, cuja consolação é somente ouvir a orquestra dos passarinhos sobre as telhas do cárcere.

Construindo o bem sem alarde, no sublime anonimato do amor fraterno, os espíritas podem e devem ser os novos samaritanos em plena vida de hoje.

Embora humildes e pequeninos, mas convictos de que desfrutamos a eternidade, na qual já podemos viver felizes, sigamos Jesus, o excelso Timoneiro, acompanhando a marcha gloriosa de suor e de luta em que porfiam incansavelmente os nossos benfeitores abnegados — os Espíritos de escol.

EURÍPEDES BARSANULFO

# 87
# Rogativa do estômago

*Cap. XIII — Item 8*

1 – Sou a porta de sua sustentação.
Conserve-me limpo.
2 – Posso trabalhar com segurança.
Não me incline à desordem.
3 – Muita vez clama você contra a carestia.
E despende somas consideráveis para desajustar-me as funções e conturbar-me os serviços.
4 – Não me encha de excessos.
Carregando peso desnecessário, é possível venhamos a cair hoje mesmo.
5 – Não me faça depósito de condimento demasiado.
Obedecendo às leis orgânicas, transmitirei ao seu próprio sangue os venenos que você me impuser.
6 – Não me dê bebidas alcoólicas.

Se você fizer isso, não garantirei sua própria cabeça.

7 – Rogo a você afastar-me de todo entorpecente, a não ser por ocasião de tratamentos excepcionais.

Pequena drágea para repouso inconveniente pode, em verdade, aproximar-nos da morte.

8 – Não desejo nem posso alimentar-me exclusivamente com recursos celestes.

Peço apenas a você discernimento e equilíbrio.

9 – Governe-me contra as sugestões da mesa festiva, mesmo nos mais simples prazeres familiares.

Tenho comigo a chave de sua própria harmonia.

10 – Não me diga que morrerá de fome porque não disponha de mesa lauta.

Por amor de Deus, não olvide que a maior parte das enfermidades vem do prato abundante, e que nós não vivemos para comer, mas comemos simplesmente para viver.

ANDRÉ LUIZ

# 88
# De tocaia

*Cap. X — Item 3*

Luís Borges, denodado tarefeiro da Causa Espírita, em São Paulo, atravessava calmamente a avenida São João, na capital bandeirante, quando foi alvejado por um tiro de revólver, estabelecendo-se o rebuliço.

Populares e guardas. Assobios e exclamações.

Pobre moço desconhecido e armado foi preso e trazido à presença da vítima.

Borges mostrava-se assustado, mas sereno. A bala atingira simplesmente o livro que sobraçava de mão encostada ao peito. E esse livro era *O evangelho segundo o espiritismo*, com que se dirigia a certa reunião em favor de um enfermo.

— Peço desculpas. O tiro foi casual — rogou o jovem, pálido.

Os policiais, contudo, retinham-no, furiosos.

Luís Borges, no entanto, buscando a paz, abriu o volume chamuscado e falou:

— Vejamos a mensagem do Evangelho.

E ante o assombro geral, leu, na página aberta, as belas referências do capítulo X, "Bem-aventurados os que são misericordiosos":

"Então, aproximando-se dele, disse-lhe Pedro: 'Senhor, quantas vezes perdoarei a meu irmão quando houver pecado contra mim? Até sete vezes?' Respondeu-lhe Jesus: 'Não vos digo que perdoeis até sete vezes, mas até setenta vezes sete vezes'."

Quando Borges terminou a ligeira leitura, o moço preso ajoelhou-se na rua e começou a soluçar. Só então explicou que ali se achava de tocaia para assassinar o próprio irmão que o havia prejudicado num processo de herança e prometeu desistir de semelhante propósito para sempre.

HILÁRIO SILVA

# 89
# Afliges-te

*Cap. V — Item 2*

AFLIGES-TE com a vizinhança do parente menos simpático.
Esqueces-te, no entanto, dos que vagueiam sem rumo.
AFLIGES-TE com leve dor de cabeça que o remédio alivia.
Esqueces-te, porém, dos que carregam a provação da loucura na grade dos manicômios.
AFLIGES-TE por perder a condução no momento oportuno.
Esqueces-te, entretanto, dos que jazem detidos em catres de sofrimento, suspirando pelo conforto de se arrastarem.
AFLIGES-TE pelo erro sanável da costureira na vestimenta que encomendaste.
Esqueces-te, contudo, daqueles que ostentam a pele ultrajada de chagas, sem se queixarem.
AFLIGES-TE em casa porque alguém te não fez o prato de preferência.

Esqueces-te, todavia, dos que varam a noite, atormentados de fome.

AFLIGES-TE com as travessuras do filhinho desajustado.

Esqueces-te, contudo, das crianças perdidas ao sabor da intempérie.

AFLIGES-TE por insignificantes deveres no ambiente doméstico.

Esqueces-te, porém, dos que choram sozinhos no leito dos hospitais.

AFLIGES-TE, tantas vezes, por bagatelas!...

Fita, no entanto, a retaguarda e, reparando as aflições dos outros, agradecerás ao SENHOR a própria felicidade que não conseguias ver.

EMMANUEL

# 90
# Olvide e recorde

*Cap. XV — Item 3*

Olvide o pó e o vento.
Recorde que a luz do Sol e a pureza da água são gratuitos.

\* \* \*

Olvide o pessimismo e o mau agouro.
Recorde que a marcha do progresso é inexorável.

\* \* \*

Olvide a palavra infeliz.
Recorde que você está sendo ouvido e observado.

\* \* \*

Olvide a malquerença.
Recorde que o imperativo da fraternidade atinge a todos.

\* \* \*

Olvide a indisposição.
Recorde que a disciplina mental é o primeiro remédio.

\* \* \*

Olvide o próprio direito.
Recorde que o dever pessoal é intransferível.

\* \* \*

Olvide a censura.
Recorde que a harmonia e a cooperação constroem sempre mais.

\* \* \*

Olvide a discussão intempestiva.
Recorde que o respeito ao semelhante é o alicerce da paz.

\* \* \*

Olvide a vaidade intelectual.
Recorde o valor do procedimento correto em todas as circunstâncias.

\* \* \*

Olvide as vozes destrutivas.
Recorde que a extensão da seara do bem espera por nós.

* * *

Olvide a convenção nociva.
Recorde que a naturalidade suscita sempre a simpatia maior.

* * *

Olvide a lamentação.
Recorde que o minuto passa sem esperar por ninguém.

* * *

Triunfar é esquecer o lado menos bom da vida, lembrando o cumprimento das próprias obrigações, que, em verdade, sustentam a nossa alegria incessante.

André Luiz

# 91
# Estrada real

*Cap. XV — Item 6*

Filhos, a estrada real para Deus chama-se caridade. Nela, todos os regulamentos e indicações guardam a mesma essência.
O roteiro é caridade.
O sentimento é caridade.
A ideia é caridade.
O passo é caridade.
O veículo é caridade.
A palavra é caridade.
O trabalho é caridade.
O movimento é caridade.
O repasto é caridade.
O aviso é caridade.
A cooperação é caridade.
A meta é caridade.

Junto de todas as pessoas e em todas as circunstâncias na grande viagem, as atitudes são do mesmo sentido.

Caridade para com amigos.
Caridade com adversários.
Caridade com os bons.
Caridade com os menos bons.
Caridade com o próximo.
Caridade com os ausentes.
Caridade com os felizes.
Caridade com os menos felizes.
Caridade com os justos.
Caridade com os menos justos.

Em todos os momentos, a diretriz será sempre caridade. E crede que não há redundância em nossas palavras. Reflitamos juntos, e a meditação fará diferença.

José Horta

# 92
# Espiritismo e você

*Cap. XVII — Item 4*

Recentemente, você teve os primeiros contatos com a Doutrina Espírita e agora se deslumbra com as novas perspectivas espirituais da existência.
Ideais redentores.
Relações pessoais enriquecidas.
Conversações edificantes.
Leitura nobre.
Promissores ensejos de servir à fraternidade.
Recorde, no entanto, os imperativos da disciplina em todos os empreendimentos para que a afoiteza não lhe crie frustrações.
Tornar-se espírita não é santificar-se automaticamente, não significa privilégio nem expressa cárcere interior.
É oportunidade de libertação da alma com responsabilidades maiores ante as leis da Criação.

É reencarnar-se moralmente, de novo, dentro da própria vida humana.

Convicção espírita é galardão abençoado no aprendizado multimilenar da evolução.

Desse modo, nem prevenção nem invigilância constituem caminhos para semelhante conquista.

Urge sustentar perseverança e paciência na execução justa de todos os deveres.

Evite arrancar abruptamente as raízes defeituosas, mas profundas, de suas atividades; empreenda qualquer renovação pouco a pouco.

Contenha os ímpetos de defesa intempestiva das suas ideias novas; sedimente primeiro os próprios conhecimentos.

Espiritismo é claridade eterna.

Gradue a intensidade da luz que você vislumbrar para que seus olhos não sejam acometidos pela cegueira do fanatismo.

Muitos irmãos nossos ainda se debatem nas lutas de subnível, porque não se dispuseram a aceitar a realidade que você está aceitando, mas também outros muitos palmilharam o lance da experiência que hoje você palmilha e nem por isso alcançaram êxitos maiores na batalha íntima e intransferível que travamos conosco em vista da negligência a que ainda se afazem.

Crença não nos exime da consciência.

Acertar ou cair são problemas pessoais.

Tudo depende de você.

Quem persiste na ilusão abraça a teimosia.

Quanto mais se edifica a inteligência, mais se lhe acentua o prazer de servir.

Obedeça, pois, ao chamamento do Senhor, emprestando boa vontade ao engrandecimento da redenção humana, mediante trabalho ativo e incessante nos diversos setores em que se lhe possa desenvolver a colaboração.

Conserve-se encorajado e confiante.

Alegria serena em marcha uniforme é a norma ideal para atingir-se a meta colimada.

Eleve anseios e esperanças, tentando sublimar emoções e cometimentos.

Acima de tudo, consolide no coração a certeza de que a revelação maior é aquela que nos preceitua o dever de procurar com Jesus a nossa libertação do mal e, em nosso próprio benefício, compreendamos a real posição do Mestre como excelso condutor de nosso mundo, em cujo Infinito Amor estamos construindo o Reino de Deus em nós.

ANDRÉ LUIZ

# 93
# Temos o que damos

*Cap. XIII — Item 20*

Podes guardar o pão para muitos dias, ainda que o excesso de tua casa signifique ausência do essencial entre os próprios vizinhos; todavia, quanto puderes, alonga a migalha de alimento aos que fitam debalde o fogão sem lume.

Podes conservar armários repletos de veste inútil, ainda que a traça concorra contigo à posse do pano devido aos que se cobrem de andrajos; no entanto, sempre que possas, cede a migalha de roupa ao companheiro que sente frio.

Podes trazer bolsa farta, ainda que o dinheiro supérfluo te imponha problemas e inquietações; contudo, quanto puderes, oferece a migalha de recurso aos irmãos em necessidade.

Podes alinhar perfumes e adornos para uso à vontade, ainda que pagues caro a hora do abuso, mas, sempre que possas, estende a migalha de remédio aos doentes em abandono.

Um dia, que será noite em teus olhos, deixarás pratos cheios e móveis abarrotados, cofres e enfeites para a travessia da grande sombra; entretanto, não viajarás de todo nas trevas, porque as migalhas de amor que tiveres distribuído estarão multiplicadas em tuas mãos como bênçãos de luz.

Meimei

# 94
# Verdade e crença

*Cap. XIX — Item 1*
*E se vos digo a verdade, por que não credes?*
*— Jesus* (João, 8:46.)

Jesus lecionou a verdade em todas as situações da peregrinação messiânica.

A todos concedeu Amor puro, bênçãos de luz e bens para a eternidade.

Provou com os próprios testemunhos a excelência de seus ensinos...

Ministrou a caridade simples e natural, sem melindrar ou ferir...

A cada qual apontou a lógica real das circunstâncias da vida...

A ninguém enganou...

Não sofismou por nenhuma razão...

Perdoou sem apresentar condições...
Cedeu a benefício de todos.
Não temeu, nem vacilou ao indicar a realidade, nem fugiu de demonstrá-la no próprio exemplo.
Não aguardou bonificações: serviu sempre.
De ninguém reclamou: sacrificou a si mesmo.
Não permaneceu em posição de neutralidade: definiu-se.

Cabe, portanto, a quem recolhe os dons divinos da claridade evangélica amar e perdoar, construindo o bem e a paz, esposando ostensivamente a vida cristã na elucubração da teoria e no esforço da aplicação.

Se temos a luz da verdade, por que não lhe seguir a rota de luz?

EMMANUEL

# 95
# Se você quiser

*Cap. XXV — Item 5*

Diz você que o mundo é um amontoado de males infinitos; entretanto, se você quiser construir o bem na própria alma, respirará, desde agora, na faixa do mundo melhor que surgirá em si mesmo.

Diz você que a casa onde reside é uma forja de sofrimento pela incompreensão dos familiares que lhe ignoram os ideais; contudo, se você quiser servir com paciência e bondade, ajudando a cada um sem reclamar retribuição, embora pouco a pouco, passarão todos eles a conhecer-lhe os princípios, por meio de seus atos, convertendo-se-lhe o lar em ninho de bênçãos.

Diz você que a ingratidão mora em seu campo de trabalho, transfigurando-o em lugar de suplício, mas se você quiser consagrar-se ao próprio dever, com humildade e tolerância, observará que o seu exemplo granjeará o respeito e o carinho dos outros, transformando-se-lhe a tarefa em manancial de alegria.

Diz você haver perdido a fé ante aqueles que ensinam a virtude sem praticá-la; no entanto, se você quiser, cumprirá com tanto devotamento as próprias obrigações, que a fé lhe brilhará no coração por fonte de júbilo intransferível.

Diz você que não dispõe de recursos para ajudar ao companheiro em luta maior, mas se você quiser repousar menos alguns minutos, em seus lazeres de cada dia, poderá converter algumas horas, cada semana, em auxílio ou consolação para os semelhantes, conquistando a simpatia e o concurso de muita gente.

Não se queixe em circunstância alguma.

Lembre-se de que a vida e o tempo são concessões de Deus diretamente a você e, acima de qualquer angústia ou provação, a vida e o tempo responderão a você com a bênção da luz ou com a experiência da sombra, como você quiser.

ANDRÉ LUIZ

# 96
# Sê compassivo

*Cap. XIII — Item 17*

Sem compaixão não há caridade.

As lágrimas vertidas ao calor vivido da piedade corroem as densas cadeias da provação.

Desterremos de nós a insensibilidade crua diante das telas de angústia que se desenrolam em nossa estrada.

A piedade é a simpatia espontânea e desinteressada que se antepõe à antipatia gratuita ou despeitosa. Ela deve induzir-nos à prática do socorro moral e material junto daqueles que no-la despertam, sem o quê se torna infrutífera.

Quando o sofrimento alheio não nos sensibiliza, a Orientação Divina estatui venhamos a experimentá-lo igualmente para avaliar a dor do próximo e nos predispormos a ampará-lo.

Só a piedade consoladora traz alegria ao Espírito, criando elevação e valor. Fujamos à compaixão aparente que se manifesta em lágrimas de crocodilo, gestos e exclamações pomposas nos cenários artificiais do fingimento.

Mede-se a comiseração pelo devotamento e solicitude fraternais que promove. Deve-se-lhe o despovoamento gradativo das zonas de purgação moral da Espiritualidade.

Deixa-te enternecer ante os painéis comovedores das crises de pranto vezes e vezes temperadas em sangue e suor; contudo, não te detenhas aí: busca dirimi-las.

Perlustra as vielas ínvias da necessidade e beneficia as almas que se agitam em desespero dentro da jaula do próprio corpo.

Tem dó, não apenas dos quadros gritantes de falência íntima, mas também dos padecimentos mascarados de silêncio e de orgulho, ingenuidade e inexperiência.

Inunda de amor os corações mantidos sob o vácuo do tédio.

Protege a infância desvalida, pois os pequenos viajores da carne carecem de guias.

Favorece com a moeda e abençoa com a palavra os pedintes andrajosos somente acariciados pelos cães que vagueiam nas ruas.

E, na certeza de que a piedade sincera jamais expressa covardia a derruir o bem, nem ridículo a excitar o riso alheio, acatemo-la como força de renovação das almas e luz interior da verdadeira vida, eternizada por Deus.

Sê compassivo.

CAIRBAR SCHUTEL

# 97
# Escola da bênção

*Cap. XV — Item 4*

Sofres cansaço da vida, dissabores domésticos, deserção de amigos, falta de alguém...

Por isso, acordaste sem paciência, tentando esquecer.

Procuraste espetáculos públicos que te não distraíram e usaste comprimidos repousantes que não te anestesiaram o coração.

Entretanto, para teu reconforto, pelo menos uma vez por semana, sai de ti mesmo e busca na caridade a escola da bênção.

Em cada compartimento, aprenderás diversas lições ao contato daqueles que leem na cartilha das dores que desconheces.

Surpreenderás o filme real da angústia no martírio silencioso dos que jazem num catre de espinhos, sem se queixarem, e a emocionante novela das mães sozinhas que ofertam, gemendo, aos filhos nascituros a concha do próprio seio como prato de lágrimas.

Fitarás homens tristes, suando penosamente por singela fatia de pão, como atletas perfeitos do sofrimento e os que disputam valorosamente com os animais um lugar de repouso ao pé de ruínas em abandono.

Observarás, ainda mais, os paralíticos que sonham com a alegria de se arrastarem, os que se vestem de chagas esfogueantes, suplicando um momento de alívio, os que choram mutilações trazidas do berço e os que vacilam, desorientados, na noite total da loucura...

Ver-te-ás, então, consolado, estendendo consolo, e, ajustado a ti mesmo, volverás ao conforto da própria casa, murmurando, feliz:

— Obrigado, meu Deus!

MEIMEI

# 98
# Chamada e escolha

*Cap. XVIII — Item 1*

Sem flor não há semente.
Mas se a flor prepara, só a semente permanece.
Sem instrução, a máquina é segredo.
Mas se a instrução avisa, só a máquina produz.
Sem convicção, a atitude não aparece.
Mas se a convicção indica, só a atitude define.
Sem programa, o trabalho se desordena.
Mas se o programa sugere, só o trabalho realiza.
Sem teoria, a experiência não se expressa.
Mas se a teoria estuda, só a experiência marca.
Sem lição, o exercício não vale.
Mas se a lição esclarece, só o exercício demonstra.
Sem ensinamento, a obra não surge.
Mas se o ensinamento aconselha, só a obra convence.

\* \* \*

Disse Jesus, referindo-se à Divina Ascensão: "Serão muitos os chamados e poucos os escolhidos para o Reino dos Céus".

Isso quer dizer que, sem chamada, não há escolha.

Mas se estamos claramente informados de que a chamada vem de Deus, atingindo todas as criaturas na hora justa da evolução, só a escolha, que depende do nosso exemplo, nos confere caminho para a Vida Maior.

EMMANUEL

# 99
# Mensagem da criança ao homem

*Cap. VIII — Item 4*

Construíste palácios que assombram a Terra; entretanto, se me largas ao relento, porque me faltem recursos para pagar hospedagem, é possível que a noite me enregele de frio.

\* \* \*

Multiplicaste os celeiros de frutos e cereais, garantindo os próprios tesouros; contudo, se me negas lugar à mesa, porque eu não tenha dinheiro a fim de pagar o pão, receio morrer de fome.

\* \* \*

Levantaste universidades maravilhosas, mas, se me fechas a porta da educação, porque eu não possua uma chave de ouro, temo abraçar o crime, sem perceber.

\* \* \*

Criaste hospitais gigantescos; no entanto, se não me defendes contra as garras da enfermidade, porque eu não te apresente uma ficha de crédito, descerei bem cedo ao torvelinho da morte.

\* \* \*

Proclamas o bem por base da evolução; todavia, se não tens paciência para comigo, porque eu te aborreça, provavelmente ainda hoje cairei na armadilha do mal, como ave desprevenida no laço do caçador.

\* \* \*

Em nome de Deus, que dizes amar, compadece-te de mim!...
Ajuda-me hoje para que eu te ajude amanhã.
Não te peço o máximo que alguém talvez te venha a solicitar em meu benefício...
Rogo apenas o mínimo do que me podes dar para que eu possa viver e aprender.

MEIMEI

# 100
# Você e os outros

*Cap. XIII — Item 9*

Amigo, atendamos ao apelo da fraternidade. Abra a própria alma às manifestações generosas para com todos os seres, sem trancar-se na torre das falsas situações perante o mundo. A pretexto de viver com dignidade, não caminhe indiferente ao passo dos semelhantes.

Busque relacionar-se com as pessoas de todos os níveis sociais, tendo amigos além das fronteiras do lar, da fé religiosa e da profissão.

Evite a circunspecção constante e a tristeza sistemática, que geram a frieza e sufocam a simpatia.

Não menospreze a pessoa malvestida nem a pessoa bem-posta.

Não crie exceções na gentileza para com o companheiro menos experiente ou menos educado, nem humilhe aquele que atenta contra a gramática.

Não deixe correr meses sem visitar e falar aos irmãos menos favorecidos, ignorando a dor que acaso exista.

Não condicione as relações com os outros ao paletó e à gravata, às unhas esmaltadas ou aos sapatos brilhantes que possam mostrar.

Não se escravize ao título convencional nem exagere as exigências da sua posição em sociedade.

Dê atenção a quem lhe peça, sem criar empecilhos.

Trave conhecimento com os vizinhos, sem qualquer solenidade.

Faça amizade desinteressadamente.

Aceite o favor espontâneo e preste serviço também sem pensar em remuneração.

Ninguém pode fugir à convivência da Humanidade.

Saiba, pois, viver com todos para que o orgulho não lhe solape o equilíbrio.

Quem se encastela no próprio espírito é assim como o poço de água parada que envenena a si mesmo.

Seja comunicativo. Sorria à criança. Cumprimente o velhinho. Converse com o doente. Liberte o próprio coração, destruindo as barreiras de conhecimento e fé, título e tradição, vestimenta e classe social, existentes entre você e as criaturas, e a felicidade que você fizer para os outros será luz da felicidade sempre maior brilhando em você.

ANDRÉ LUIZ

# 101
# Quando voltares

*Cap. XVIII — Item 7*

Sofres pedindo alívio e inebrias-te na oração, como quem sobe ao Céu pela escada sublime da bênção...

Rogas a presença do Cristo.

Todavia, não encontras o Mestre, diante de quem te prostrarias de rastros.

Sabes, porém, que nas Alturas os Braços Eternos te sustentam a vida e, enquanto te enterneces na melodia da confiança, sentes que tua alma se coroa de luz ao fulgor das estrelas.

Suplicas, em prece, a própria felicidade e a felicidade dos que mais amas, obtendo consolo e refazendo energias...

Contudo, quando voltares da divina excursão que fazes em pensamento, desce teus olhos no vale dos que padecem.

Surpreenderás aqueles para quem leve migalha de teu conforto expressará sempre, de algum modo, a aquisição da perfeita alegria.

Os mutilados em pranto oculto, os enfermos deixados aos pesadelos da noite, os infelizes em desespero e os pequeninos que se amontoam ante o lar de ninguém...

Descobrindo-os, decerto não lhes alongarás apenas o olhar dorido, mas também as próprias mãos, aprendendo a redentora ciência de auxiliar.

Compreenderás, então, que podes igualmente distribuir na Terra o tesouro de amor que imploras do Céu, e quem sabe?

Talvez hoje mesmo, penetrando o quarto sem lume de algum doente que o mundo esqueceu no catre da angústia, encontrarás o Senhor, velando-lhe as horas, a dizer-te com ternura inefável:

— Para que me chamaste? Eu estou aqui.

MEIMEI

# 102
# A reivindicação

*Cap. X — Item 17*

Há muito aspirava Saturnino Peixoto ao interesse de algum homem público para favorecê-lo na abertura de certa estrada.

Para isso, conversou, estudou, argumentou...

Concluiu, por fim, que a pessoa indicada seria o deputado Otaviano, recém-eleito, homem ao qual se referiam todos da melhor maneira, pela atenção e carinho com que se dedicava à solução dos problemas da extensa região que representava.

Depois de ouvir o escrivão da cidade, Saturnino redigiu longa carta-memorial, minudenciando a reivindicação.

E ficou aguardando a resposta.

Correram dias, semanas, meses.

Nenhum aviso.

Revoltado, Saturnino começou a exprobrar a conduta política do deputado, que nem sequer lhe respondera a carta.

Sempre que se lembrava do assunto, criticava o político, censurando-o acremente, a envolver todos os homens públicos em condenação desabrida.

Nada valiam ponderações da companheira, D. Estefânia, espírita convicta, que lhe pedia perdoar e esquecer.

Transcorreram três anos, até que a solicitação caducou.

Saturnino, obrigado a desistir da ideia, guardou, contudo, profundo ressentimento do legislador que terminava o mandato.

Certo dia, porém, revolvia os guardados de velha prateleira no escritório, quando encontrou, surpreendido, entre livros e papéis relegados à traça, o memorial que escrevera ao deputado, dentro de envelope sobrescritado, selado e recoberto de pó.

Saturnino se esquecera de enviar a carta...

Hilário Silva

# 103
# Rogativa das mãos

*Cap. XXV — Item 3*

1 – Nascemos com você para a realização de sua tarefa. Não nos deixe desocupadas.

2 – Evite usar-nos em bebidas e alimentos impróprios. Não nos obrigue a impor-lhe o suicídio.

3 – Não se queixe do mundo.

Em verdade, não conseguimos apanhar estrelas, mas podemos plantar flores.

4 – É possível que você tenha necessidade de estender-nos algumas vezes para pedir.

Antes, porém, dirija-nos ao trabalho, para que venhamos a merecer.

5 – Refere-se você à genialidade do cérebro.

Entretanto, sem nós, a Torre Eiffel ficaria em projeto, e as sinfonias de Beethoven não passariam de sonho.

6 – Orgulha-se você de muitas máquinas.

Contudo, sem a nossa cooperação, seriam elas inúteis.

7 – Você diz que a manutenção da própria existência está pela hora da morte.

Mas, se você quiser, cultivaremos feijão, arroz, milho ou batatas e enriqueceremos a vida.

8 – Lamenta-se você quanto à falta de empregados.

Não olvide, porém, que é um insulto exigir dos outros aquilo que podemos fazer por nós mesmos.

9 – Afirma-se você sem tempo para ajudar, mas despende longas horas em conversações sem proveito.

Recorde que Deus não nos confiou a você para sermos guardadas no bolso ou para sermos dependuradas em janelas e postes, poltronas e balaústres.

10 – Em muitas ocasiões, você cai na sombra da tristeza ou do desânimo, conservando a cabeça como pote de fel.

Entretanto, se você colocar-nos no serviço do bem, vazaremos suas mágoas pelo suor, e você sorrirá, cada instante, encontrando a alegria de viver em forma de nova luz.

ANDRÉ LUIZ

# 104
# Prece no templo espírita

*Cap. XXVIII — Item 4*

Senhor Jesus, abençoa, por misericórdia, o lar que nos deste ao serviço da oração.

Reúne-nos aqui em teu Amor e ensina-nos a procurar-te para que não nos percamos à margem do caminho.

Nos instantes felizes, sê nossa força, para que a alegria não nos torne ingratos e insensíveis.

Nos momentos amargos, sê nosso arrimo, para que a tristeza não nos faça abatidos e inúteis.

Nos dias claros, concede-nos a bênção do suor no trabalho digno.

Nas noites tempestuosas, esclarece-nos o Espírito para que te entendamos a advertência.

Inclina-nos a pensar sentindo, para que não guardemos gelo no cérebro, e induze-nos a sentir pensando, para que não tenhamos fogo no coração.

Ajuda-nos para que a caridade em nossa existência não seja vaidade que dilacere os outros e para que a humildade em nossos dias não seja orgulho rastejante!...

Auxilia-nos para que a nossa fé não se converta em fanatismo e para que o nosso destemor não se transforme em petulância.

Amorável Benfeitor, perdoa as nossas faltas.

Mestre Sublime, reergue-nos para a lição.

E, sobretudo, Senhor, faze que entendamos a divina vontade, a fim de que, aprendendo a servir contigo, saibamos dissolver a sombra de nossa presença na glória de tua luz!

EMMANUEL

# Índice das referências

*(O evangelho segundo o espiritismo)*

| Capítulo | Ítem | Página | Capítulo | Ítem | Página |
|---|---|---|---|---|---|
| I | 7 | 25 | VIII | 1 | 67 |
| I | 9 | 51 | VIII | 3 | 49 |
| III | 6 | 57 | VIII | 4 | 45 |
| III | 19 | 29 | VIII | 4 | 261 |
| IV | 18 | 129 | VIII | 7 | 113 |
| V | 2 | 237 | VIII | 13 | 207 |
| V | 4 | 79 | VIII | 18 | 157 |
| V | 5 | 223 | VIII | 19 | 167 |
| V | 12 | 135 | IX | 1 | 109 |
| V | 13 | 179 | IX | 2 | 43 |
| V | 18 | 69 | IX | 4 | 137 |
| V | 19 | 183 | IX | 6 | 17 |
| VI | 1 | 153 | IX | 6 | 197 |
| VI | 3 | 59 | IX | 7 | 217 |
| VI | 4 | 61 | IX | 10 | 127 |
| VI | 5 | 11 | X | 1 | 65 |
| VI | 6 | 111 | X | 3 | 235 |
| VI | 7 | 181 | X | 5 | 93 |
| VI | 8 | 55 | X | 14 | 85 |
| VII | 3 | 173 | X | 15 | 133 |
| VII | 11 | 99 | X | 16 | 21 |

## Índice geral

| Capítulo | Ítem | Página | Capítulo | Ítem | Página |
|---|---|---|---|---|---|
| X | 16 | 169 | XVI | 5 | 187 |
| X | 17 | 267 | XVI | 9 | 159 |
| XI | 2 | 165 | XVII | 3 | 205 |
| XI | 7 | 71 | XVII | 4 | 227 |
| XI | 9 | 27 | XVII | 4 | 245 |
| XI | 10 | 209 | XVII | 11 | 91 |
| XII | 2 | 121 | XVIII | 1 | 259 |
| XII | 5 | 225 | XVIII | 3 | 41 |
| XII | 7 | 177 | XVIII | 7 | 265 |
| XII | 8 | 193 | XVIII | 9 | 37 |
| XIII | 3 | 215 | XVIII | 10 | 151 |
| XIII | 5 | 89 | XVIII | 16 | 117 |
| XIII | 7 | 229 | XIX | 1 | 251 |
| XIII | 8 | 233 | XIX | 7 | 105 |
| XIII | 9 | 263 | XX | 4 | 161 |
| XIII | 10 | 13 | XX | 5 | 199 |
| XIII | 11 | 189 | XXI | 8 | 195 |
| XIII | 13 | 23 | XXIII | 5 | 163 |
| XIII | 15 | 219 | XXIV | 2 | 95 |
| XIII | 17 | 255 | XXV | 1 | 123 |
| XIII | 20 | 249 | XXV | 2 | 145 |
| XIV | 1 | 139 | XXV | 3 | 269 |
| XIV | 2 | 203 | XXV | 5 | 253 |
| XIV | 3 | 143 | XXV | 7 | 39 |
| XIV | 9 | 75 | XXV | 9 | 103 |
| XV | 2 | 231 | XXVI | 1 | 149 |
| XV | 3 | 239 | XXVI | 7 | 19 |
| XV | 4 | 257 | XXVI | 10 | 33 |
| XV | 6 | 243 | XXVII | 8 | 97 |
| XV | 10 | 15 | XXVII | 11 | 83 |
| XVI | 1 | 171 | XXVIII | 4 | 271 |

# Índice geral[1]

**A**

Abnegação
  resultados da — 95
Ação
  necessidade da — 23
  vida plena de — 23
Aconselhamento
  dado aos outros — 35
Aflição
  consolação em Deus e — 19
  desejo de morrer e — 25
  egoísmo e — 89
  esquecimento da * dos outros — 89
  tesouro das horas e — 25
Agressões verbais
  dever cumprido e — 39
Agripa, Menêmio
  fábula de — 11
Água
  chuva e consumo de — 66
Alegria pura
  dor e obstáculos e — 28
Alimentação
  exagero na — 55
  oxigenação do ar e — 66
Alimento
  doação de — 93
  sobras de — 2
Alma
  posses mundanas e perda da — 55
Amigo
  melindre e — 36
Amigo não-cristão
  renúncia em favor de — 59
Amor
  axaltação ao — 78
  dinheiro e — 9
  glória da vida — 78
  palavra renovadora e — 9
  Reino de Deus e — 45
  renúncia em nome do — 59
  vida e — 78
Amparo aos semelhantes
  resultados obtidos e — 70
Aparência
  menosprezo pela — 100
Apetrechos inúteis
  caridade e — 2
Apoio moral
  empréstimo e — 70
Aprendizes abnegados
  Allan Kardec e — 68
  Amália Domingo Sóler e — 68
  Bernard Palissy e — 68
  Bezerra de Menezes e — 68
  Gustavo Hertz e — 68
  Miguel de Cervantes e — 68
  Miguel Faraday e — 68
  provas decisivas e — 68
  Víctor Hugo e — 68
  William Shakespeare e — 68
Aprendizes do Evangelho
  bênçãos divinas e — 42
Assistência material
  evangelização e — 70
  solidariedade e — 70

---

[1] N.E.: Remete ao número do capítulo.

# Índice geral

Autoaprimoramento
    disciplina excessiva e — 16
Autoconhecimento
    valorização do perdão e — 62
Autoidolatria
    egoísmo e — 72
Autoridade
    império econômico e — 64
    uso da Ciência e — 64

## B

Bala perdida
    espírita e — 88
    *Evangelho segundo o espiritismo, O,*
    e — 88
Bem
    base da evolução — 99
    caráter do — 44
    ensino e exemplo do — 35
    louvor ao — 78
    meio termo na prática do — 84
    presença de Deus em nós e — 44
Bem de todos
    sacrifícios e — 35
Beneficência
    ajuda pessoal e — 70
    necessitados distantes e — 70
    tarefa da — 70
    anonimato e — 79
Bens terrenos
    desencarnação e — 93
Bondade
    força da — 4
    valor de um gesto de — 81
Burilamento moral
    ação do amor e — 48

## C

Calúnia
    refúgio da prece e — 39
    vício da — 41
Caridade
    ajuda sem exigência e — 35
    atitudes da — 91
    comentarista da — 57
    compaixão e — 96
    conversação comum e — 28
    dinamismo no amor e — 38
    economia nos prazeres e — 57
    escola da bênção e — 97
    fonte da — 9
    indicações para a — 91
    momentos valiosos e — 28
    moral — 79
    necessidade da — 79; 84
    pensamento e — 79
    pertences dos mortos e — 2
    poema da — 78
    recesso do lar e — 28
    recursos e — 95
    renúncia ao lazer e — 95
    secura de coração e — 38
    sobras de alimento e — 2
    supérfluos e — 57
    tempo para o cultivo da — 73
    várias formas de — 2
    via pública e — 28
Carne fraca
    Espírito pronto e — 55
Censura
    harmonia, cooperação e — 90
Centro espírita
    motivo de comparecimento ao — 36
    oração no — 104
Cervantes, Miguel de
    paralisia, literatura e — 68
Céu
    Espiritismo e — 8
Ciúme
    tragédia e — 41
Coisas boas
    esquecimento das — 90
Coisas ruins
    lembrança das — 90
Colaboração
    administração do tempo e — 70
    melhora na — 70
Cólera

## Índice geral

negativas complexas da — 45
Comentarista
  melindre e — 36
Compaixão
  caridade e — 96
  aparente — 96
  Compromissos espirituais — 48
Concerto musical
  sinfonia da natureza e — 66
Contradições
  contrastes e — 20
Contrastes
  contradições e — 20
Conversação
  colheita de bênçãos e — 35
Convicção alheia
  respeito à — 72
Corpo físico
  corpo espiritual e — 18
  interdependência dos órgãos do — 11
Crença
  orgulho e — 38
Criador *ver* Deus
Criança
  mensagem da * ao homem — 99
  rogativas da — 99
Criança abandonada
  progresso intelectual e — 99
  progresso material e — 99
Criança enferma
  amor materno e — 17
  caridade com a — 17
  eutanásia e — 17
Criança sofredora
  oração pela — 56
Criminoso
  desejo de renovação e — 83
Cristo *ver* Jesus
Crítica
  amigo desorientando e — 43
  companheiro falido e — 43
  desastre moral e — 43
  fuga da — 43
  homem público e — 43

irmão e — 43
parente e — 43
queda do próximo e — 43
decepção e — 102
reivindicação e — 102
Culto do Evangelho no lar
  matérias escolares e — 16
Cura espiritual
  força do amor e — 53
Curiosidade construtiva
  indagação ociosa e — 16

## D

Decisão
  importância da — 84
Delinquência
  inovação na arte e — 64
Desânimo
  conjugação das próprias forças e — 44
  pregação, luta construtiva e — 35
Desapego
  pequenas coisas e — 2
Desencarnação
  bens terrenos e — 93
  nascimento e — 48
Desencarnado
  destino dos pertences do — 2
Desequilíbrio da alma
  tolerância, compreensão e — 83
Desespero
  atendimento à realidade e — 66
Destino
  poder de Deus e — 78
Desvios da madureza
  infância e — 16
Deus
  aflição e — 19
  busca de consolação em — 19
  destino e poder de — 78
  enfermidade e — 19
  folha caída e poder de — 78
  humilhação e — 19
  incompreensão e — 19
  insânias humanas e — 29

# Índice geral

louvor a — 75
maravilhas extraordinárias e — 44
solidão e — 19
verdade fundamental e — 84
Dever
   fuga ao — 38
Devotamento
   trabalho e — 3
Dia de juízo
   Espiritismo e — 8
Dificuldade
   aceitação da — 37
   Providência Divina e — 28
   valores positivos e — 28
   valorização da — 66
Dinheiro *ver também* Riqueza e Moeda
   amor e — 9
   doação em — 93
   entendimento, carinho e — 9
Discípulo do Cristo
   esparrelas do vício e — 21
   fomento à guerra e — 21
   ilusões, caprichos e — 21
   imprecações e — 21
   incredulidade e — 21
   insaciabilidade e — 21
   ódio e — 21
   Pai-Nosso e — 21
Doença *ver* Enfermidade
Dons divinos
   posse dos — 94
Doutrina Cristã
   pureza de fundamentos e — 72
Doutrina Espírita *ver também* Espiritismo
   construção da Humanidade e — 1
   primeiros contatos com a — 92

# E

Educação
   amor e — 16
   instrução e — 16
Egoísmo
   empréstimos divinos e — 12
   evangelho no coração e — 16

Empréstimo
   dádivas fraternas e — 69
   egoísta e * divino — 12
Energia elétrica
   consumo de — 66
Enfermidade
   calor da bondade e — 4
   consolação em Deus e — 19
   inquietação e evolução da — 32
   intempéries emocionais e — 32
   meditação e — 32
   superação das deficiências e — 35
Ensinamento
   exemplo e — 98
Ensinamentos de Jesus
   Espiritismo e — 8
   como entender os — 55
Erro alheio
   você e — 73
Escola da bênção
   caridade e — 97
   sofrimento e — 97
Espírita
   busca do — 54
   Espiritismo e — 46
   estímulos novos e — 82
   existência humana e — 46
   melindre e — 36
   orientações ao — 92
   reforma íntima e — 92
   responsabilidade em ser — 92
   sopro de renovação e — 82
   vida inútil e — 12
Espírita sem serviço
   labirintos do umbral — 58
Espiritismo *ver também* Doutrina Espírita
   caridade em movimento e — 2
   céu e — 8
   Dia de juízo e — 8
   doação dos espíritas ao — 54
   entendimento da vida e — 82
   espíritas e — 46
   Espírito Santo e — 8
   estímulos novos e — 82

## Índice geral

idolatria e — 72
milagre e — 8
mistério e — 8
Reino de Deus e — 8
salvação e — 8
santo e — 8
sobrenatural e — 8
tempos novos e — 12
tentação e — 8
Espírito
   monumento vivo de Deus — 12
Espírito da Verdade, O
   Espíritos diversos e — Introdução
   *Evangelho segundo o espiritismo, O,* e — Introdução
   Francisco Cândido Xavier e — Introdução, nota
   sofredores e — Introdução
   Waldo Vieira e — Introdução, nota
Espírito pronto
   carne fraca e — 55
Espírito Santo
   Espiritismo e — 8
Esquecimento do passado
   atitudes valorosas e — 24
   trabalho renovador e — 24
   vantagens do — 24
Estômago
   intemperança e — 87
   rogativas do — 87
Eternidade
   conceito de — 10
Evangelho
   auxílio e — 60
   bondade e — 60
   erro e — 60
   falta alheia e — 60
   fenômenos mediúnicos e — 67
   irritação e — 60
   livro-luz da evolução — 48
   queixas e — 60
*Evangelho segundo o espiritismo, O*
   bala perdida e — 88
   Espírito da Verdade, O, e —
   Introdução
   índice das referências de — Índice das referências
Evangelização
   assistência material e — 70
Evolução
   base da — 99
   paz e — 10
Excesso
   nós e — 2
Exemplo
   caminho para a vida maior e — 98
   ensinamento e — 98
Existência terrestre *ver* Vida humana
Expressões descaridosas
   evitação de — 26

## F

Fala *ver* palavra
Falhas alheias
   ofensa e — 72
   você e — 73
Familiares
   compreensão com — 47
   gentileza e — 37
   paciência, bondade e — 95
Faraday, Miguel
   trabalho humilde e — 68
Fé
   cumprimento dos deveres e — 95
   Doutrina Espírita e — 29
   espontaneidade da — 38
   fortaleza de coração e — 29
   golpes da incompreensão e — 29
   reforma íntima e — 29
   solidão e — 29
   vontade do Criador e — 29
Fé construtiva
   adversidade e — 10
Fé espírita
   libertação espiritual e — 38
   meio-termo da — 38
Fenômenos mediúnicos
   Evangelho e — 67

## Índice geral

Jesus e — 67
Filho criminoso
   pais delinquentes e — 27
Filho ingrato
   carta ao — 27
   história de — 27
Filho mau
   vigília maternal e — 46
Filho não-cristão
   renúncia em favor de — 59
Flor
   semente e — 98
Folha caída
   poder de Deus e — 78
Fraternidade
   apelos da — 100
   pântanos de amargura e — 78
Frustração
   amigo perfeito e — 33
   matrimônio e — 33

## G

Generosidade
   relações humanas e — 4
Gentileza
   exceções e — 100
   familiares e — 37
Gota d'água
   parábola da — 7
Grupos sociais
   atos de amor e — 48

## H

Hertz, Gustavo
   pobreza e — 68
Homem triste
   consolação ao — 97
Hugo, Víctor
   exílio e — 68
Humanidade
   convivência com a — 100
Humilhação
   consolação em Deus e — 19

## I

Idolatria
   impropriedade da — 72
   irmãos de carne e osso e — 72
   objetos, pessoas e — 72
Impaciência
   história da — 80
Império econômico
   luz meteórica e — 64
Indiferença
   mulher bonita e — 47
Indulgência
   clima de paz e — 62
   erro e — 62
   mágoa e — 62
   oportunidades da 102
   palavra impensada e — 62
   próprias imperfeições e — 62
Infância
   desvios na madureza e — 16
   guias humanos e * desvalida — 96
Influência
   aproximação e — 32
Ingratidão
   humildade e — 95
Instrução
   educação real e — 16
   máquinas e — 98
Integridade mental
   atuação com enfermos e — 32
Intemperança
   desculpas e — 39
Irritação
   perigo e — 39
Isolamento
   envenenamento espiritual e — 100

## J

Jesus
   busca incessante de — 61
   caridade e — 61
   causa de Deus e — 37
   colaboração com — 65
   condições de trabalho de — 40
   Consolador Prometido, O, e — 22

## Índice geral

criança doente e — 61
disciplina ante — 74
dracma perdida e — 31
encontro marcado com — 61
ensinamentos e vivência de — 94
escrita e — 36
exemplos de — 33
familiares de — 40
fenômenos mediúnicos e — 67
hora difícil de — 40
libertação do mal e — 92
nós e — 40
onipresença de * na Terra — 22
ovelhas do rebanho terrestre e — 74
transformação do mundo e — 9
vida com — 22
Jovem
   melindre e — 36
Juízo Divino
   nossas obras e — 55
Julgamento
   Justiça Divina e — 65
   necessidade do outro e — 65
Júlio
   história de — 41
Justiça
   bondade e — 78

## K

Kardec, Allan
   dificuldades financeiras e — 52
   humilhação e — 68
   missiva a — 52
   tristeza de — 52

## L

Lamentação
   corrida do tempo e — 90
Lar
   escola da alma — 16
Lar Anália Franco
   Clélia Rocha e — 6
Liderança real
   características da — 64

humildade e — 64
*Livro dos espíritos, O*
   A. Laurent — 52
   Joseph Perrier e — 52

## M

Mãe
   erguimento do Reino de Deus e — 50
   missão de — 46
   ternura de filha à — 51
   tipos de — 50
Mágoa
   vinagre no coração e — 24
Mal
   origem do — 44
Maledicência
   preservação do equilíbrio e — 49
   teias da — 41
Malfeitor
   esperanças ao — 83
Mansidão
   agressões verbais e — 39
   desequilíbrio e — 39
   irritação e — 39
Mãos
   Deus e a função das — 103
   rogativa das — 103
   suicídio e — 103
   trabalho e — 103
Maternidade
   láurea celeste e — 50
   manifestação da vida e — 50
   ministério divino e — 50
   norteamento do progresso e — 50
   tipos de — 50
Matrimônio
   frustrações e — 33
Medicamento
   recursos do pensamento e — 66
Médium
   culto ao dever e — 5
   decálogo para o — 5
   descentralização e — 5
   desprendimento e — 5

# Índice geral

dúvida e — 5
estudo e — 5
humildade e — 5
indulgência e — 5
irritação e — 5
mediunidades e — 11
melindre e — 36
perseguidores e — 5
tarefa específica e — 11
trabalho espontâneo e — 5
Mediunidade
  Doutrina Espírita e — 67
  Jesus e — 67
Melindre
  consequências do — 36
  espírita e — 36
  falsos motivos para o — 36
  orgulho e — 36
Melindroso
  conselho ao — 36
  procedimentos com o — 36
Mendigo
  moeda que abençoa e — 96
Menezes, Adolfo Bezerra de
  extrema necessidade material e — 68
Mensagens espirituais
  objetivo das — 28
Migalha(s) *ver também* Sobras
  necessidades alheias e — 31
  valor das — 93
Milagre
  Espiritismo e — 8
Misericórdia
  força da — 88
Mistério
  Espiritismo e — 8
Moeda insignificante
  gota de remédio e — 31
  pedaço de pão e — 31
  utilidade da — 31
Moeda *ver também* Dinheiro e Riqueza
  Moenda e — 63
  uso correto da — 63
Moenda

moeda e — 63
Mulher
  mundo porvindouro e — 56
Mundo espiritual
  continente sem limites e — 48

## N

Natureza
  benefícios da — 71
  compreensão e respeito e — 10
  marcos na — 42
  Presença Divina e — 10
  solidariedade e cooperação — 11
  trabalho solidário da — 4
Necessidade alheia
  você e — 73
Nuvem sombria
  feição boa da — 10

## O

Obediência
  firmeza e — 10
Obrigação
  obediência à — 37
Obstáculo
  resignação humilde e — 68
Ofensa
  perdão e — 77
Opinião
  Deus e nossa — 43
Oração
  ação da — 13
  crianças sofredoras e — 56
  filhos dos outros e — 56
  procedimentos após a — 101
Organismo humano
  recursos do — 11
Orgulho
  conhecimento e — 69
  crença e — 38
  melindre e — 36
Ouro acumulado
  tentação à loucura e — 27
Ovelha

## Índice geral

trabalhador do Cristo e — 74

## P
Padecimento mascarado
   ingenuidade e — 96
   orgulho e — 96
Pai Nosso
   discípulos do Cristo e — 21
Pai
   magistérios sublimes e — 16
   melindre e — 36
Pais delinquentes
   filhos criminosos — 27
Pai não-cristão
   renúncia em favor de — 59
Palavra
   crueldade no uso da — 49
   força da — 15
   retocando a — 26
Palestrante
   pureza doutrinária e — 54
Palissy, Bernard e
   pobreza extrema e — 68
Pão
   história de um — 81
   parábola do — 85
Pão negado
   oração do — 85
Passado delituoso
   lembranças do — 24
Paulo, o apóstolo
   holocausto das próprias energias e — 44
Paz
   atitudes construtoras da — 15
   conquista da — 15
Pensamento
   expressões do — 8
Perda
   trabalho edificante e — 33
Perdão
   dever de praticar o — 24
   doação incondicional do — 47
   motivos para o — 77

   ofensas alheias e — 77
   quebra das estatuetas e — 30
Perigo
   irritação e — 39
   desequilíbrio e — 39
Perispírito
   corpo físico e — 18
Perrier, Joseph
   *Livro dos espíritos, O,* e — 52
Personalidade
   traços da — 76
Pertences usados
   caridade e — 2
Pessimismo
   marcha do progresso e — 90
Piedade
   simpatia espontânea e — 96
   socorro moral e — 96
Piedade consoladora
   alegria ao Espírito e — 96
   sofrimento alheio e — 96
Porta estreita
   significado espiritual de — 14
Porta larga
   círculos de viciação e — 14
   significado espiritual de — 14
Posição de destaque
   autoridade e — 64
   posse efêmera e — 64
   tirania e — 64
Prece *ver* Oração
Preguiçoso
   conceito de — 37
Princípios superiores
   ponto de vista e — 38
Problemas do mundo
   cobiça e — 1
   cultura da inteligência e — 1
   egoísmo e — 1
   espaço e — 1
   Evangelho de Jesus e — 1
   organizações sociais e — 1
   ouro e — 1
   teorias e — 1

# Índice geral

Profissão
  utilidade da — 3
Profissionais
  marcos — 42
Profissionalismo religioso
  mundo espiritual e — 11
Programa
  trabalho e — 98
Progresso humano
  ciência e — 34
  inteligência e — 34
Progresso intelectual
  criança abandonada e — 99
Progresso material
  criança abandonada e — 99
Provas decisivas
  vultos da Humanidade e — 68
Próximo
  Deus, você e o — 13
Pureza inoperante
  utopia e — 28

## Q
Quebra das estatuetas
  história da — 30
  perdão e — 30
Queda alheia
  oração, silêncio e — 79

## R
Realidade
  aspecto exterior e — 10
Reclamação
  evitando a — 26
  prevenção contra — 26
Redenção humana
  trabalho ativo e — 92
Reencarnação
  candidatos à — 20
  experiências e — 18
  mérito e — 48
Reforma íntima
  espírita e — 92
Reino de Deus
  amor e — 78
  Espiritismo e — 8
Relações humanas
  aparência e — 100
  entendimento e — 4
  generosidade e — 4
  níveis sociais e — 100
  simpatia e — 4
  vizinhos e — 100
Remédio
  doação em — 93
Remorso
  ofensor e — 77
Renovação exterior
  autossublimação e — 40
Renúncia
  amor e — 59
  exemplo de Jesus e — 59
  experiência doméstica e — 35
  filho não-cristão e — 59
  pai não-cristão e — 59
Resignação
  auréola de gloria e — 68
  compromissos espirituais e — 48
  motivos para — 48
Revelação
  época oportuna e — 34
Revolta
  absurdidade da — 48
Riqueza *ver também* Dinheiro e Moeda
  felicidade e — 69
  usura e — 69
  vícios morais e — 69
  virtude e — 9
Rocha, Clélia
  indulgência e — 6
  Lar Anália Franco e — 6
  manifestação antiespírita e — 6
Roupa
  corpo físico e — 66

## S
Sacrifícios próprios
  egoísmo — 73

# Índice geral

Salvação
  Espiritismo e — 8
  conceito espírita de — 3
Samaritanos
  novas vítimas e novos — 86
Santo
  Espiritismo e — 8
Sarcasmo
  palavra de — 47
Saúde
  consciência reta e — 32
  intempéries emocionais e — 32
  recursos próprios e — 32
  simpatia e equilíbrio da — 4
Semente
  grandeza da — 7
Sentimento
  benefício do — 79
Seres humanos
  marcos nos — 42
Servidor
  melindre e — 36
Shakespeare, William
  penúria e — 68
Simpatia
  força da — 4
Simplicidade
  luxo e — 37
Sobras *ver também* Migalha
  caridade e valor das — 9
Sobrenatural
  Espiritismo e — 8
Sofredor
  autodoação ao — 7
Sofrimento
  aproveitamento do — 25
  comparação com o próximo e — 7
  invigilância e — 78
Sofrimento alheio
  piedade consoladora e — 96
  sensibilidade ao — 96
Sóler, Amália Domingo
  suplício da fome e — 68
Solidão
  consolação em Deus e — 19
Solidariedade
  assistência material e — 70
Suicídio
  *Livro dos espíritos, O,* impede — 52
Súplica
  procedimentos após a — 101

## T

Templo espírita *ver* Centro espírita
Tempo
  valorização do — 37
Tempo presente
  pretérito, futuro e — 44
Tempos novos
  responsabilidade e — 12
  Espiritismo e — 12
Tentação
  Espiritismo e — 8
Teoria
  experimentação e — 98
Tolerância
  amigo desajustado e — 35
Trabalhador do Cristo
  ovelha e — 74
Trabalho
  programa e — 98
Tranquilidade
  oração matinal e — 37
Trânsito
  desrespeito no — 47

## U

Umbral
  espírita ocioso e — 58
Usura
  honra a Jesus e — 85

## V

Vaidade intelectual
  procedimento correto e — 90
Verdade fundamental
  Criador e — 84
Vícios morais

# Índice geral

ciúme e — 69
egoísmo e — 69
preguiça e — 69
Vida
  amor e — 78
  lado menos bom da — 90
Vida física *ver também* Vida humana
  ação e solidariedade na — 13
  contrastes da — 20
  equilíbrio na — 38
  interdependência na — 13
  sentido da — 12
Vida humana *ver também* Vida física
  contrastes da — 20
  cuidados na — 49
  laboriosa viagem e — 49
  prudência e — 38
  renovação e — 18
  vida espiritual e — 20
Vida inútil
  espírita e — 12
Vida real
  nascimento da — 40

Vidas passadas
  experiências diversas e — 18
  repetição dos desvios de — 38
  tempo de renovação e — 18
Vigília maternal
  filho desobediente e — 46
  filho mau e — 46
Virtude
  alimento da — 79
Virtude jactanciosa
  austeridade e — 38
Vítima
  fazer-se de — 38
Voluntariedade
  assistência social e — 58
  culto do Evangelho e — 58
  divulgação da Doutrina e — 58
  estudo edificante e — 58
  evangelização infantil e — 58
  mediunidade e — 58
Vontade Divina
  possibilidades a serviço da — 44

## O ESPÍRITO DA VERDADE

| Edição | Impressão | Ano | Tiragem | Formato |
|---|---|---|---|---|
| 1 | 1 | 1962 | 15.000 | 13x18 |
| 2 | 1 | 1970 | 5.066 | 13x18 |
| 3 | 1 | 1977 | 10.200 | 13x18 |
| 4 | 1 | 1982 | 10.200 | 13x18 |
| 5 | 1 | 1985 | 10.200 | 13x18 |
| 6 | 1 | 1987 | 10.200 | 13x18 |
| 7 | 1 | 1990 | 10.200 | 13x18 |
| 8 | 1 | 1992 | 15.000 | 13x18 |
| 9 | 1 | 1995 | 10.000 | 13x18 |
| 10 | 1 | 1997 | 5.500 | 13x18 |
| 11 | 1 | 1999 | 5.000 | 13x18 |
| 12 | 1 | 2000 | 3.000 | 12,5x17,5 |
| 13 | 1 | 2002 | 5.000 | 12,5x17,5 |
| 14 | 1 | 2003 | 5.000 | 12,5x17,5 |
| 15 | 1 | 2006 | 2.000 | 12,5x17,5 |
| 16 | 1 | 2007 | 3.000 | 12,5x17,5 |
| 16 | 2 | 2008 | 3.000 | 12,5x17,5 |
| 17 | 1 | 2008 | 5.000 | 12,5x17,5 |
| 17 | 2 | 2009 | 5.000 | 12,5x17,5 |
| 17 | 3 | 2010 | 5.000 | 12,5x17,5 |
| 18 | 1 | 2013 | 3.000 | 14x21 |
| 18 | 2 | 2013 | 3.000 | 14x21 |
| 18 | 3 | 2014 | 3.000 | 14x21 |
| 18 | 4 | 2015 | 1.000 | 14x21 |
| 18 | 5 | 2016 | 3.000 | 14x21 |
| 18 | 6 | 2018 | 2.500 | 14x21 |
| 18 | 7 | 2019 | 1.000 | 14x21 |
| 18 | 8 | 2020 | 1.500 | 14x21 |
| 18 | POD* | 2021 | POD | 14x21 |
| 18 | IPT** | 2022 | 250 | 14x21 |
| 18 | IPT | 2022 | 150 | 14x21 |
| 18 | IPT | 2023 | 300 | 14x21 |
| 18 | IPT | 2023 | 500 | 14x21 |
| 18 | 14 | 2024 | 1.200 | 14x21 |
| 18 | 15 | 2025 | 1.000 | 14x21 |

*Impressão por demanda

**Impressão pequenas tiragens

**FEB editora**
Livro espírita para um novo mundo
www.febeditora.com.br
@febeditoraoficial
@febeditora

Conselho Editorial:
*Carlos Roberto Campetti*
*Cirne Ferreira de Araújo*
*Evandro Noleto Bezerra*
*Geraldo Campetti Sobrinho – Coord. Editorial*
*Jorge Godinho Barreto Nery – Presidente*
*Maria de Lourdes Pereira de Oliveira*
*Miriam Lúcia Herrera Masotti Dusi*

Produção Editorial:
*Elizabete de Jesus Moreira*

Revisão:
*Anna Cristina Rodrigues*
*Lígia Dib Carneiro*

Capa:
*Wallace Carvalho da Silva*

Projeto Gráfico:
*Rones José Silvano de Lima – instagram.com/bookebooks_designer*

Diagramação:
*Eward Bonasser Jr.*

Foto de Capa:
*http://www.shutterstock.com/ Andrey tiyk*

Normalização Técnica:
*Biblioteca de Obras Raras e Documentos Patrimoniais do Livro*

Esta edição foi impressa pela FM Impressos Personalizados LTDA., Barueri, SP, com tiragem de 1,1 mil exemplares, todos em formato fechado de 140x210mm e com mancha gráfica de 104x168mm. Os papéis utilizados foram Off white bulk 58 g/m² para o miolo e o Cartão 250 g/m² para a capa. O texto principal foi composto em fonte Adobe Garamond Pro 12/15 e os títulos em Adobe Garamond Pro 28/30. Impresso no Brasil. *Presita en Brazilo.*